UMA FÉ PÚBLICA

MIROSLAV VOLF

UMA FÉ PÚBLICA

COMO O CRISTÃO PODE
CONTRIBUIR PARA O BEM COMUM

Traduzido por ALMIRO PISETTA

Copyright © 2011 por Miroslav Volf
Publicado originalmente por Brazos, uma divisão de Baker Publishing Group, Grand Rapids, Michigan, EUA.

Os textos das referências bíblicas foram extraídos da *Nova Versão Internacional* (NVI), da Bíblica Inc., salvo indicação específica.

Todos os direitos reservados e protegidos pela Lei 9.610, de 19/02/1998.

É expressamente proibida a reprodução total ou parcial deste livro, por quaisquer meios (eletrônicos, mecânicos, fotográficos, gravação e outros), sem prévia autorização, por escrito, da editora.

CIP-Brasil. Catalogação na publicação
Sindicato Nacional dos Editores de Livros, RJ

V889f

    Volf, Miroslav
    Uma fé pública: como o cristão pode contribuir para o bem comum / Miroslav Volf; tradução Almiro Pisetta. — 1. ed. — São Paulo: Mundo Cristão, 2018.
    208 p.: il; 21 cm.

    Tradução de: A public faith: how followers of Christ should serve the common good
    ISBN 978-85-433-0171-6

    1. Cristianismo – Sociologia. 2. Bem comum – Aspectos religiosos – Cristianismo. I. Pisetta, Almiro. II. Título.

17-46281   CDD: 261.7
                                                                                                   CDU: 272-316

Categoria: Cristianismo/Sociedade

Publicado no Brasil com todos os direitos reservados por:
Editora Mundo Cristão
Rua Antônio Carlos Tacconi, 79, São Paulo, SP, Brasil, CEP 04810-020
Telefone: (11) 2127-4147
www.mundocristao.com.br

1ª edição: janeiro de 2018

Sumário

Agradecimentos   7
Introdução   9

PARTE I — OPOSIÇÃO ATIVA ÀS FALHAS DA FÉ
1. Falhas da fé   21
2. Ociosidade   41
3. Coercitividade   57
4. Prosperidade humana   77

PARTE II — FÉ ENGAJADA
5. Identidade e diferença   101
6. Compartilhamento da sabedoria   123
7. Engajamento público   145

Conclusão   165
Notas   173
Índice remissivo   197

Agradecimentos

Não é fácil contar a história deste livro; portanto, os agradecimentos, sempre inadequados, serão inadequados em dobro.

O ponto de partida foi o convite para fazer as Palestras Laing de 2006 no Regent College, em Vancouver, no Canadá. Essas palestras compreendem os três primeiros capítulos. Agradeço aos meus amigos do Regent College, especialmente a John Stackhouse, pelo convite e pelas instigantes conversas naquela linda cidade. Também apresentei cada uma dessas três palestras separadamente em vários outros lugares. O mesmo se aplica aos outros quatro capítulos, embora eu tenha escrito cada um deles originalmente para uma ocasião específica. O capítulo 4 ("Prosperidade humana") eu escrevi em 2008 para o grupo de estudo de pesquisadores judeus e cristãos que se debruçou sobre o tema "Esperança e responsabilidade para o futuro humano", proposto pelo Institute for Theological Enquiry [Instituto de Investigação Teológica]. O capítulo 5 ("Identidade e diferença") remonta a uma palestra que proferi em 1994 na cidade de Bad Urah, na Alemanha, numa conferência intitulada "O evangelho em nossa cultura pluralista", mas o texto foi muito revisado para este volume. O capítulo 6 ("Compartilhamento da sabedoria") foi um *position paper* cristão (escrito num contexto de discussões entre adeptos de várias fés com representantes de seis religiões mundiais) para o terceiro encontro do Elijah Board of World Religious Leaders [Conselho Elijah de Líderes Religiosos], realizado em 2007 em Amritsar, na Índia. Finalmente, apresentei pela primeira vez o capítulo 7 ("Engajamento público") em 2005 na conferência sobre New Religious Pluralism and Democracy [Novo Pluralismo Religioso e Democracia] na Georgetown University. Devo minha gratidão aos organizadores e a muitos participantes desses grupos de trabalho e conferências, e também a outras organizações onde apresentei esses textos, por se envolverem com o meu trabalho e o tornarem melhor.

Editei todos os textos de novo para este volume. Minha casinha na arborizada ilha de Ugljan, na Croácia, com vista sobre o belo Adriático, foi um local perfeito para fazer esse trabalho. Minha irmã, Vlasta, minha mãe, Mira, bem como meus primos Mario e Daniela foram muito gentis ao cuidarem dos afazeres domésticos e ficarem de olho em meus filhos, Nathanael e Aaron, para que eu pudesse escrever. Lá da distante New Haven, Ryan McAnnally-Linz se mostrou muitas e muitas vezes um assistente de pesquisa absolutamente de primeira linha: eficiente, informado, ponderado e construtivamente crítico. Sou imensamente grato a todos eles. Bob Hosack e toda a equipe da Brazos Press merecem meus agradecimentos por fazerem, com muita habilidade, que este livro viesse à luz do dia e, sim, também por terem mostrado muita paciência.

Finalmente, dedico o livro ao meu amigo Skip Masback. Ele caminhou comigo por vales e escalou alguns altos montes. Nós compartilhamos uma paixão: a de ver nossa fé servir à prosperidade humana e ao bem comum.

Introdução

Travam-se hoje em dia candentes debates acerca do papel das religiões na esfera pública, e não é difícil entender a razão disso. Primeiro, as religiões — o budismo, o judaísmo, o cristianismo, o islamismo etc. — vêm crescendo numericamente, e seus adeptos no mundo inteiro estão cada vez menos dispostos a limitar suas convicções e práticas à esfera privada da família ou da comunidade religiosa. Em vez disso, querem que essas convicções e práticas moldem a vida pública. Eles podem envolver-se com políticas eleitorais, buscando influenciar processos legislativos (como a Direita Religiosa tem feito nos Estados Unidos desde os mandatos de Reagan), ou podem concentrar seus esforços na transformação do tecido moral da sociedade por meio de reavivamentos religiosos (como a Direita Religiosa pareceu estar fazendo durante os mandatos de Obama). De um modo ou de outro, muitos cidadãos religiosos objetivam moldar a vida pública de acordo com sua visão pessoal do que é uma vida boa.

Segundo, no mundo globalizado de hoje, não é possível isolar as religiões em áreas geográficas definidas. À medida que o mundo diminui de tamanho e a interdependência dos povos aumenta, apaixonados defensores de diferentes religiões passam a ocupar o mesmo espaço. Mas como convivem essas pessoas, especialmente quando todas elas querem moldar a esfera pública de acordo com os ditames de suas tradições e textos sagrados?

Quando se trata do papel público das religiões, o principal temor é o da imposição, isto é, uma fé impondo aspectos de seu próprio estilo de vida a outras fés. Pessoas religiosas temem a imposição: os muçulmanos temem os cristãos, os cristãos temem os muçulmanos, os judeus temem ambos, os muçulmanos temem os judeus, os hindus temem os muçulmanos, os cristãos temem os hindus, e assim por diante. Os secularistas, aqueles que não adotam nenhuma fé religiosa tradicional, também temem a imposição — a imposição de qualquer fé —, uma vez que tendem a considerá-las todas irracionais e perigosas.

O medo da imposição de visões religiosas muitas vezes evoca a necessidade urgente da supressão de vozes religiosas da esfera pública. Quem adota essa visão argumenta que a política, uma das maiores esferas públicas, deve "permanecer sem a iluminação da luz da revelação" e orientar-se tão somente pela razão humana, como disse recentemente Mark Lilla.[1] Esse é o conceito de um estado laico, forjado no Ocidente durante os últimos séculos.

Totalitarismo religioso

Diferindo dos que pensam que a religião deve ficar fora da política, eu argumentarei neste livro que os cidadãos religiosos devem ter a liberdade de apresentar na esfera pública suas visões do que é uma vida boa, tanto na política como em outros aspectos da vida pública. Além disso, acredito que seria uma medida opressora proibi-los de agir desse modo. Mas, assim que alguém começa a apresentar um argumento desse gênero, algumas pessoas evocam a ameaça do totalitarismo religioso.[2]

Para muitos secularistas de hoje, o islamismo militante, representado por alguém como Sayyid Qutb, mostra como as religiões, se gozassem de total liberdade, se comportariam na esfera pública. Isso representa uma concepção extremamente errônea das religiões, mas é o fantasma que assombra discussões do papel público da religião. Para expor esse fantasma à plena luz do dia, passo agora a fazer um breve esboço da posição de Qutb tal qual se articula em sua obra *Milestones* [Marcos miliários], um opúsculo revolucionário que ele escreveu na prisão (1954-1964) e que lhe rendeu uma sentença de morte em 1966. Qutb foi descrito como "o padrinho do islamismo radical". O que Marx foi para o comunismo, dizem, Qutb foi para o islamismo radical. Isso é um exagero. É verdade, porém, que ele foi "uma das principais influências na visão mundial dos movimentos radicais em todo o mundo muçulmano".[3] A meu ver, ele é o mais convincente e hoje o mais influente representante do que eu descreveria como totalitarismo religioso — do ponto de vista intelectual, mais rigoroso do que representantes cristãos contemporâneos do totalitarismo religioso, tais como os denominados "teólogos da dominação".[4] A posição que eu mesmo defenderei neste livro será uma alternativa tanto para a total exclusão de todas as religiões da esfera pública como para a total saturação da vida pública com uma única religião como proposto por Qutb.

Eu sou cristão, e Qutb é muçulmano. Mas o quadro que estou traçando *não* contrasta posições cristãs com posições islâmicas. Para a grande maioria dos muçulmanos, a posição de Qutb é completamente inaceitável, não sendo fiel nem às fontes de autoridade do islamismo nem à experiência secular dos muçulmanos com uma variedade de organizações políticas em muitas partes do mundo. O contraste diz mais respeito ao pluralismo político religioso e ao totalitarismo religioso. A posição que designo aqui como "pluralismo político religioso" emergiu no seio do cristianismo, mas não é *a* posição cristã. Nem todos os cristãos a adotam, e alguns nos últimos séculos levantaram fortes objeções a ela. Inversamente, entre gente de fé, os cristãos não são os únicos a adotar o pluralismo político religioso. Muitos judeus, budistas, muçulmanos, entre outros, também o adotam.[5]

Aqui está o esqueleto da argumentação de Qutb:

1. Uma vez que não existe "nenhum deus exceto Deus" — *a* convicção muçulmana básica —, Deus tem soberania absoluta sobre a terra. Para os cristãos e judeus tradicionais, tanto quanto para os muçulmanos, essa é uma reivindicação indiscutível. Mas muitos seguidores de religiões abraâmicas consideram profundamente problemáticas as implicações derivadas por Qutb dessa reivindicação.
2. Que somente Deus é Deus significa para Qutb que toda autoridade dos seres humanos — sejam eles sacerdotes, políticos ou gente comum — sobre outros é ilícita. *Toda* autoridade humana (exceto a do profeta Maomé como porta-voz de Deus) é um ídolo, e compromete a unicidade e soberania de Deus.
3. A orientação sobre como levar uma vida pessoal e como organizar a vida social vem somente de Deus (conforme foi revelada por meio do profeta Maomé). Exatamente como o Deus único "não perdoa nenhuma associação [de outra divindade] com a sua pessoa", assim Deus "não aceita nenhuma associação com seu revelado estilo de vida".[6] Obedecer às ordens de alguma outra fonte que não seja Deus é idolatria, assim como é idolatria adorar outra divindade.
4. O islamismo não é um conjunto de crenças, mas um estilo de vida em total submissão aos preceitos do Deus único. A comunidade muçulmana é "o nome de um grupo de pessoas cujas maneiras, ideias e conceitos, preceitos e regras, valores e critérios são todos derivados da fonte islâmica".[7]

Qutb resume a constituição interna da comunidade muçulmana da seguinte maneira: "Nenhum deus exceto Deus" significa "nenhuma soberania a não ser a de Deus, nenhuma lei a não ser a que provém de Deus, e nenhuma autoridade de um ser humano sobre outro, uma vez que a autoridade, em todos os seus aspectos, pertence a Deus".[8] Uma comunidade que adota esses princípios como estilo de vida é uma comunidade muçulmana. Ela é exclusiva, e seus preceitos regulam todos os aspectos da vida de seus membros. Essa é a sua constituição interna. Que dizer das suas relações externas?

1. Os muçulmanos são chamados a uma completa separação de comunidades que ostensivamente ignoram a orientação de Deus.
2. Uma vez que Deus é único e é o Criador, a lei de Deus que regula a vida pessoal e social dos seres humanos, segundo a formulação do profeta Maomé, não é menos universal que as assim chamadas leis da natureza; ambas se aplicam sempre e em toda parte.
3. "O dever principal do islamismo neste mundo é destituir a *Jahiliyyah* [ignorância da orientação divina] do comando do homem, e tomar esse comando nas próprias mãos e fazer vigorar o estilo particular de vida que é sua característica permanente."[9]
4. Os muçulmanos são chamados a abraçar a crença de que não existe "nenhum deus exceto Deus", crença essa que deve ser abraçada livremente, pois não há compulsão na religião.

A imposição do preceito do Deus único, segundo a interpretação do profeta Maomé, ao mundo inteiro: essa é a missão do islamismo político segundo a interpretação de Qutb. Só pode haver liberdade religiosa em sua concepção correta na ordem política que incorpora o estilo de vida muçulmano. O islamismo político é religioso em sua base e, diferentemente da corrente principal do islamismo, é agressivamente totalitário em sua natureza.[10] "Existe um único lugar no mundo que pode ser chamado a casa do islamismo (Dar-ul-Islam)", escreve ele resumindo sua posição,

> e é aquele lugar onde o estado islâmico se estabelece e a charia é a autoridade e os limites de Deus são observados e onde todos os muçulmanos administram as atividades do estado consultando-se mutuamente. O resto do mundo é a casa da hostilidade (Dar-ul-Harb).[11]

Mais uma vez, um lembrete: essa não é *a* posição islâmica. A grande maioria dos muçulmanos, incluindo os intelectuais religiosos e seculares mais influentes, discorda dela. Essa é uma *versão extremista* da posição islâmica, e o autor dela não é um intelectual islâmico com formação acadêmica. A meu ver, aqui, ela funciona como um exemplo do tipo de totalitarismo religioso que adeptos de várias fés, incluindo o cristianismo, defenderam no passado e continuam a defender hoje.[12]

Rumo a uma alternativa

Apresento neste pequeno volume um esboço de uma alternativa à saturação totalitária da vida pública com uma única religião bem como à exclusão secular de todas as religiões da vida pública. Escrevo como cristão para seguidores de Cristo. Não escrevo como uma pessoa genericamente religiosa para adeptos de todas as religiões, um projeto que fracassaria desde o princípio. Para ficar com o exemplo de Qutb, elaborar alternativas distintamente islâmicas para Qutb é tarefa para estudiosos islâmicos. Minha tarefa é apresentar uma visão do papel dos seguidores de Jesus Cristo na vida pública, um papel que evita os perigos tanto da "exclusão" como da "saturação".

Um dos textos mais amplamente discutidos sobre a relação entre a religião e a cultura, incluindo a política, é a obra de

H. Richard Niebuhr, *Cristo e cultura*.[13] Escrevendo em meados da década de 1950, ele analisou cinco pontos de vista cristãos em relação à cultura: Cristo contra a cultura; o Cristo da cultura; Cristo acima da cultura; Cristo e cultura em paradoxo; e Cristo transformando a cultura. Se usássemos as categorias de Niebuhr, poderíamos dizer que a posição de Qutb é uma combinação do sectário ponto de vista "religião contra a cultura" e da visão politicamente ativista "religião transformando a cultura" com o objetivo de conseguir uma identidade entre religião e cultura.

Como sugere a tipologia de Niebuhr, na tradição cristã — e algo semelhante se aplica a outras religiões —, há mais de uma maneira de relacionar a religião com a cultura. E até mesmo os vários tipos de Niebuhr são amplos e abstratos, o que é apropriado para os tipos ideais que ele quer apresentar. Os representantes concretos desses cinco pontos de vista em relação à cultura são menos evidentes e tendem a combinar elementos de mais de uma categoria.

Meu argumento neste livro é que não existe uma única maneira pela qual a fé cristã se relaciona e deve se relacionar com a cultura como um todo (ver capítulo 5). A relação entre fé e cultura é demasiado complexa para isso. A fé se opõe a alguns elementos da cultura e se mantém afastada de outros. Sob alguns aspectos a fé é idêntica aos elementos da cultura, e ela busca transformar de diversas maneiras outros tantos elementos. Além disso, o ponto de vista da fé em relação à cultura muda com o tempo à medida que a cultura muda. Como, então, se define essa visão da fé em relação à cultura? Ela é — ou deveria ser — definida pelo cerne da própria fé, por sua relação com Cristo como a Palavra divina encarnada e o Cordeiro de Deus que tira o pecado do mundo.

O cerne da fé cristã sugere uma relação com a cultura mais ampla que, *grosso modo*, pode ser descrita nos seis pontos a seguir:

1. Cristo é a Palavra de Deus e o Cordeiro de Deus, que veio ao mundo para o bem de todas as pessoas, que são todas criaturas de Deus e amadas por ele. A fé cristã é, portanto, uma fé "profética" que visa corrigir o mundo. Uma fé ociosa ou redundante — uma fé que não busca corrigir o mundo — é uma fé que apresenta falhas graves (ver capítulos 1 e 2). A fé deve ser atuante em todas as esferas da vida: educação e artes, comércio e política, comunicação e entretenimento etc.
2. Cristo veio para redimir o mundo pela pregação, ajudando concretamente as pessoas e morrendo como um criminoso em favor dos ímpios. Sob todos os aspectos de sua obra, ele foi um portador de graça. Uma fé coercitiva — uma fé que visa se impor e impor seus métodos a outros por meio de qualquer forma de coerção — é também uma fé com falhas graves (ver capítulos 1 e 3).
3. Quando se trata da vida no mundo, seguir Cristo significa cuidar dos outros (bem como de si mesmo) e trabalhar visando à prosperidade deles, de modo que a vida seja boa para todos e assim todos aprendam a viver bem (ver capítulo 4). Uma visão da prosperidade humana e do bem comum é o ponto principal que a fé cristã traz para o debate público.
4. Uma vez que o mundo é criação de Deus e a Palavra veio para o que era seu apesar de os seus não a receberem (Jo 1.11), a visão adequada dos cristãos em relação à cultura mais ampla não pode ser a de oposição sem tréguas ou a da transformação total. Requer-se uma atitude muito mais complexa: a de tomar os vários elementos de uma cultura internamente diferenciada e em constante mutação, aceitá-los, transformá-los, subvertê-los ou utilizá-los de um modo melhor e aprender com eles (ver capítulo 5).
5. Jesus Cristo é descrito no Novo Testamento como "a testemunha fiel" (Ap 1.5) e seus seguidores viam a si

mesmos como testemunhas (por exemplo, At 5.32). O modo como os cristãos trabalham visando à prosperidade humana não é impondo aos outros a sua visão de prosperidade humana e bem comum, mas sendo testemunhas de Cristo, que personifica a vida boa (ver capítulo 6).
6. Cristo não veio com um projeto acabado para organizações políticas; muitos tipos de organizações políticas são compatíveis com a fé cristã, da monarquia à democracia. Mas num contexto pluralista, a ordem de Cristo "em tudo, façam aos outros o que vocês querem que eles lhes façam" (Mt 7.12) impõe que os cristãos dispensem a outras comunidades religiosas as mesmas liberdades políticas e religiosas que eles reivindicam para si mesmos. Em outras palavras, os cristãos, mesmo aqueles que em suas visões religiosas são exclusivistas, devem abraçar o pluralismo como projeto político (ver capítulo 7).[14]

Essa é, em grandes pinceladas, a alternativa que proponho para o totalitarismo religioso, e ela resume o conteúdo principal deste livro.

Exploro três perguntas simples nas páginas seguintes:

1. De que maneiras a fé cristã mostra suas falhas no mundo contemporâneo, e como devemos combatê-las (capítulos 1—3)?
2. Qual deve ser a principal preocupação dos seguidores de Cristo quando se trata do viver bem no mundo de hoje (capítulo 4)?
3. Como devem se comportar os seguidores de Cristo para pôr em prática sua visão do viver bem no mundo de hoje em relação a outras fés e na companhia de pessoas diferentes com quem convivem sob o teto de um mesmo estado (capítulos 5—7)?

Ao tentar responder a essas perguntas simples, meu objetivo é apresentar uma alternativa tanto para a exclusão secular da religião da esfera pública como para todas as formas de "totalitarismo religioso" — uma alternativa que não se baseia na atenuação das convicções cristãs, mas sim na robusta afirmação e na prática satisfeita dessas mesmas convicções.

Parte I

OPOSIÇÃO ATIVA ÀS FALHAS DA FÉ

1
Falhas da fé

Quando apresento pela primeira vez o Centro de Fé e Cultura de Yale, que eu dirijo, a determinada plateia, muitas vezes chamo atenção para o logotipo do Centro, que representa um livro aberto em que se vê na página esquerda uma folha em branco e na página direita uma folha verde. Pergunto à plateia o que ela enxerga.

"Vida nova jorrando de um livro?", alguém pode sugerir.

"O livro é o livro da aprendizagem", outro pode arriscar.

"Não, é a Palavra de Deus", alguém pode explicar, para trazer o símbolo mais perto da substância da fé.

"Por que não as duas coisas?", talvez interrompa outra pessoa, explicando que os símbolos podem ter múltiplos significados e que o nome do Centro inclui tanto a fé como a cultura.

"E que dizer da folha verde?", indago.

"Ela representa uma cultura florescente que nasce das Escrituras, da fé", diz outra pessoa, tentando ligar todos os pontos.

"Certo", respondo e continuo, "a imagem da folha foi inspirada pela árvore mencionada no fim do livro de Apocalipse, cujas folhas são para 'a cura das nações'. É só com isso que nós aqui no Centro nos ocupamos: a promoção da prática cristã da fé em todas as esferas a fim de que o que é falho em nossa vida e cultura possa ser corrigido, e todos possamos prosperar como criaturas de Deus: finitas, frágeis, defeituosas e, com tudo isso, esplêndidas. Mais importante ainda, é só disso que trata a fé cristã, como religião profética que é."

Falhas

No decurso da longa história do cristianismo — repleta de notáveis conquistas de seus santos e pensadores, artistas e construtores, reformadores e gente comum —, a fé cristã algumas vezes deixou de estar à altura de seus próprios padrões de religião profética. Com demasiada frequência, ela nem corrige o mundo nem ajuda os seres humanos a prosperarem. Pelo contrário, parece causar danos terríveis, sufocar o que é novo e belo antes que ele possa criar raízes, espezinhar o que é bom e verdadeiro. Quando isso acontece, a fé não é mais uma fonte de água fresca ajudando a vida boa a crescer vicejante, mas um poço envenenado, mais prejudicial para quem bebe de suas águas do que qualquer vício isolado poderia ser — como disse Friedrich Nietzsche, feroz crítico do cristianismo, em seu derradeiro e raivosamente profético livro *O Anticristo*.

É verdade que alguns dos efeitos nocivos da fé podem ser em grande parte atribuídos a diferenças de perspectiva. Nietzsche, por exemplo, valorizava muito o poder e por isso ridicularizava o cristianismo por sua "ativa compaixão em prol dos fracos e deficientes físicos".[1] Mas numa confrontação entre o poder de Nietzsche e a compaixão de Cristo, a fé só acaba sendo deletéria se você compartilhar dos valores antirreligiosos de Nietzsche.

Ou tome-se uma questão concreta como a do aborto. Se você pensa que uma vida por nascer é humana e, portanto, sagrada, então uma fé que põe a decisão da mãe acima do respeito pela vida por nascer parecerá egocêntrica, opressora, violenta e até assassina quando a vida humana é extremamente vulnerável.² Contrastando com isso, se você pensa que uma vida por nascer ainda não é um ser humano, então a fé que procura proteger aquela vida enquanto sacrifica o bem-estar de sua mãe e vai contra as escolhas dela parecerá desrespeitosa, opressora e às vezes até violenta para com a mãe.³

Todavia, nem todas as falhas do cristianismo são meramente uma questão de perspectiva. Quando refletimos sobre como os seguidores de Cristo podem contribuir para o bem comum, é importante ter em mente esses efeitos negativos, que eu chamo de "falhas". Neste capítulo e nos dois seguintes, vou examinar algumas dessas falhas da fé cristã. Não tratarei das preocupações daqueles que acreditam que a religião em si, e o cristianismo de modo específico, são simplesmente uma falha total do espírito e da cultura da humanidade — gente que deriva sua linhagem dos grandes críticos da religião da Europa continental tais como Ludwig Feuerbach, Karl Marx, Friedrich Nietzsche ou Sigmund Freud. Na visão deles, não existem céus aos quais alguém possa ascender, nem um Deus com quem se encontrar; só existe este mundo, este imensuravelmente vasto e frio universo. Além disso, pior do que acreditar que existe um Ser Supremo, quando de fato esse Ser não existe, é insistir com inabalável teimosia, nascida da crença no absoluto, na transformação do mundo segundo os preceitos de um Deus inexistente. Do ponto de vista desses críticos, a religião aparece como o verdadeiro ponto culminante da irracionalidade opressora. Mas não tratarei aqui da religião como sendo uma falha; tratarei das falhas da religião, e das falhas da fé cristã em particular.

Na segunda parte do livro, vou argumentar que para fazer frente às falhas da fé é importante que os cristãos concentrem seus pensamentos em Deus e no entendimento adequado da prosperidade humana. Pois, no fim das contas, é só disso que uma religião profética se ocupa: ser um instrumento de Deus para a prosperidade humana, nesta vida e na futura.

Religiões proféticas

A fim de entender as falhas da fé cristã de modo adequado, pode ser útil recorrer à velha distinção entre os tipos de religião profética e religião mística. O primeiro defende uma transformação do mundo; o segundo incentiva fugas da alma rumo a Deus.[4]

Comentando uma crença muçulmana amplamente seguida segundo a qual do lugar onde hoje se situa a Cúpula da Rocha, em Jerusalém, o profeta Maomé ascendeu pelos sete céus até a presença real de Deus, o grande místico sufi Abdul Quddus de Gangoh disse: "Maomé da Arábia ascendeu ao mais alto céu e retornou. Eu juro por Deus que se eu tivesse atingido aquele ponto jamais teria retornado". A declaração de Quddus de Gangoh revela a diferença básica entre os tipos de religião profética e religião mística. Nas palavras do filósofo e estadista paquistanês Muhammad Iqbal (falecido em 1938), de cujo livro *The Reconstruction of Religious Thought in Islam* [A reconstrução do pensamento religioso no islamismo] tirei esta citação:

> O místico não quer retornar do repouso da "experiência unitária"; e quando ele inevitavelmente retorna, seu retorno não significa muito para a humanidade em geral. O retorno do profeta é criativo. Ele retorna para se inserir na voragem do tempo com um plano de controlar as forças da história e, com isso, criar um novo mundo de ideais. [...] O desejo de ver sua experiência religiosa transformada numa força viva no mundo é supremo no profeta. Assim, seu retorno equivale a uma espécie de teste pragmático do valor de sua experiência religiosa.[5]

Se aplicarmos o comentário de Iqbal genericamente às religiões proféticas em vez de aplicá-lo de modo específico a Maomé, podemos discutir com ele questionando se os profetas devem alimentar a ambição de "controlar as forças da história"; questionando a estrita supremacia na vida dos profetas do desejo de transformar a experiência religiosa numa "força viva no mundo"; ou questionando "a espécie de teste pragmático do valor de sua experiência religiosa". Contudo, o ponto básico de Iqbal é convincente, e é aplicável fora do islamismo: as religiões proféticas visam transformar o mundo à maneira de Deus em vez de fugir do mundo para os braços de Deus, como fazem as religiões místicas.

Como o islamismo mais amplo e o judaísmo, o cristianismo é um tipo de religião profética. Essas três grandes religiões abraâmicas, como são às vezes denominadas, diferem ligeiramente sobre a substância da visão profética e sobre as modalidades apropriadas da inserção do profeta no mundo a fim de realizar essa visão. Elas concordam, todavia, que uma autêntica experiência religiosa deve ser uma força transformadora do mundo. "Experiências unitárias", mesmo quando muito valorizadas, não são um fim em si mesmas; seu propósito é, pelo menos em parte, o envio do profeta ao mundo. "Ascensões", embora essenciais, devem ser seguidas por "retornos".

Segundo as Escrituras hebraicas, Moisés ascendeu ao monte Sinai e retornou com as tábuas da lei (Êx 24.12-13; 32.15-16). Segundo o Hádice — coleção de histórias autênticas sobre o fundador do islamismo —, Maomé ascendeu à própria presença de Deus e retornou para continuar sua missão de mudar o mundo. Um padrão semelhante se aplica, num sentido qualificado, a Jesus Cristo, que para os cristãos não é apenas um profeta, mas a Palavra que se tornou carne (Jo 1.14): ele ascendeu ao Monte da Transfiguração e retornou para reparar um mundo contaminado pelo mal (Mt 17.1-9; Mc 9.2-9; Lc 9.28-37); de modo mais fundamental, Jesus veio "lá de cima" para trazer cura e redenção (Jo 8.23) e, tendo ascendido ao céu no fim de sua passagem pela terra, retornará para julgar e transformar o mundo (por exemplo, Mt 25.31-46; 1Ts 4.15-17; Ap 21.1-8).

A fé cristã apresenta falhas quando é praticada como uma religião mística na qual a ascensão é seguida por um retorno *estéril* em vez de criativo, um retorno que não tem nenhum propósito positivo para o mundo, mas é apenas um resultado inevitável da incapacidade de um ser humano de carne e osso preservar a experiência unitiva no decurso do tempo. Mas as falhas místicas da fé não são um problema hoje em dia. Embora fés místicas continuem existindo, até mesmo fés místicas tradicionais estão adquirindo uma dimensão profética, como mostra o exemplo do "budismo engajado".[6] Quanto à fé cristã, sua falha mística é rara nos dias de hoje e é relativamente irrelevante. Podemos deixá-la de lado sem grandes perdas, para nos concentrarmos nas falhas mais graves.

Ascensão e retorno

Como ilustram os exemplos de Moisés, Jesus e Maomé, a "ascensão" e o "retorno" são cruciais. A "ascensão" é o ponto no qual, no encontro com o divino, os representantes das religiões proféticas recebem e mensagem e têm sua identidade essencial forjada — por meio da união mística com Deus, por meio da inspiração profética ou por meio de um entendimento mais profundo dos textos sagrados. A ascensão é o momento *receptivo*. O "retorno" é o ponto no qual, num intercâmbio com o mundo, a mensagem é comunicada verbalmente, decretada, transformada em liturgias ou instituições ou corporificada em leis. O retorno é o momento *criativo*.

Descrevi a ascensão como receptiva e o retorno como criativo. As descrições são apropriadas no sentido de que elas se concentram no impulso principal do que acontece na ascensão e no retorno. E, no entanto, a "ascensão" não é *meramente* receptiva. Recebendo, os próprios profetas são transformados, isto é, eles adquirem um novo *insight*; o caráter deles é transformado. Assim, a ascensão é muito criativa — um caso de recepção criativa. De modo semelhante, o "retorno" não é necessariamente apenas criativo, ou seja, os profetas transformando unilateralmente as realidades sociais. Eles mesmos podem ser transformados nesse processo, e o retorno então é um caso de criatividade receptiva.

Tendo em mente esse entendimento mais complexo da receptividade e criatividade proféticas, podemos dizer que, sem a "ascensão receptiva", não há mensagem transformadora provindo de Deus; sem o "retorno criativo", não há nenhum engajamento na transformação do mundo. Exclua-se uma ou outra situação, e já não se tem uma religião profética. Juntos, a "ascensão" e o "retorno" formam o coração palpitante da religião profética — mostrando que, embora os tipos de religião profética e de religião mística contrastem entre si, as experiências religiosas e os engajamentos com o mundo são dois componentes essenciais do tipo profético de religião.

Até aqui falei principalmente sobre as figuras fundadoras das fés abraâmicas e do caráter geral dessas fés como religiões proféticas; não mencionei os crentes comuns e seus líderes. E, contudo, eles também estão envolvidos. Para que uma religião mantenha seu caráter profético, os crentes comuns e seus líderes devem replicar à sua maneira a "ascensão" e o "retorno" das grandes figuras fundadoras. De fato, o caráter permanente dessas fés como religiões proféticas dependerá primeiramente da ascensão e do retorno dessas pessoas comuns. As figuras fundadoras estabelecem a função adequada de uma religião (definida internamente, sem depender de uma visão externa que considere essa religião como verdadeira ou sua função apropriada como salutar); os crentes comuns e seus líderes ou levam adiante essa função de modo criativo através da história ou criam uma religião falha, e geralmente eles acabam fazendo as duas coisas ao mesmo tempo.

Falhas da ascensão

As falhas da ascensão resultam de um colapso no encontro do profeta com o divino e na recepção da mensagem. Ocorrem duas dessas falhas.

Redução funcional

A primeira falha na ascensão consiste na *redução funcional* da fé. Isso acontece quando os praticantes de religiões proféticas perdem a fé na importância do encontro com Deus *como* Deus e empregam a linguagem religiosa para promover perspectivas e práticas cujo conteúdo e motivação não provêm da base da fé ou não estão integralmente relacionadas com essa base. Nenhuma ascensão aconteceu; em vez disso, emprega-se uma *simulação* de ascensão e de fala e ação em nome de Deus a fim de promover objetivos desejáveis preestabelecidos. Tais "profetas" exploram para suas plateias a autoridade de um Deus que para eles mesmos já não tem autoridade alguma. Eles reduziram um Deus vivo a uma função da linguagem religiosa dos profetas.

Na maioria das situações, a redução funcional não é um caso de má fé. Raramente os representantes de uma religião profética se propõem cinicamente manipular as pessoas usando símbolos religiosos que eles consideram vazios. O que acontece é algo mais sutil. Gradativamente a linguagem sobre Deus é esvaziada de dentro para fora, talvez por falta de confiança e por uso irrelevante, até sobrar somente uma casca. E depois essa casca é empregada para fins considerados bons. Os profetas pregam, mas confiam em seu próprio *insight* — entusiasmados talvez com fragmentos de sabedoria psicológica (Dr. Phil!) ou com uma pitada de análise social (Noam Chomsky!) — sem esperar que a fé tenha algo distinto a dizer sobre o assunto. Deliberadamente ou não, uma falha grave aconteceu — desde que nós concebamos a fé cristã não apenas como uma versão de algum ensinamento moral genérico, mas como uma *fé* profética no Criador, Redentor e Consumador do mundo.

Na famosa passagem de *A gaia ciência* sobre o assassínio de Deus — não da morte de Deus, mas do *assassínio* de Deus! —, Nietzsche descreve as igrejas de modo memorável como "túmulos e sepulcros de Deus".[7] Num sentido importante (embora não aquele que Nietzsche tinha em mente), é isso que as igrejas e a linguagem religiosa se tornam quando a ascensão falsa — redução funcional — acontece: com os profetas tendo abandonado o Deus vivo, as igrejas e a linguagem religiosa se transformam em lugares onde Deus pode em outros tempos ter sido atuante, modelando pessoas e realidades sociais, mas nos quais Deus agora jaz morto, já não sendo uma realidade transformadora, permanecendo vivo apenas como uma memória topográfica.

Substituição idólatra

A segunda falha da ascensão é a *substituição idólatra*.[8] Muito da fé cristã depende de sabermos identificar e discernir apropriadamente a vontade do Ser Único em cujo nome falam e atuam os profetas. Mas Deus habita em luz inacessível, como diz o Novo Testamento (1Tm 6.16), e os textos sagrados são sabidamente difíceis de interpretar. Precisando engajar o mundo no nome de Deus e, no entanto, achando difíceis, desconfortáveis e até mesmo contrários a suas convicções profundamente arraigadas a identificação apropriada de Deus e o discernimento da vontade dele, os profetas às vezes em sua imaginação transformam Deus numa caricatura da verdadeira divindade. A imagem que o profeta faz de Deus oculta a realidade de Deus e se insinua tomando o lugar dele. Aconteceu o erro da substituição idólatra, e a fé está prestes a incorrer em falhas graves.

Relembremos o caso paradigmático de idolatria nas Escrituras hebraicas, a história do bezerro de ouro: Moisés ascendeu à montanha para encontrar-se com Deus e receber dele "as tábuas de pedra com a lei e os mandamentos [...] para a instrução do povo" (Êx 24.12). Os israelitas acham difícil aguardar o retorno de Moisés, por isso pressionam Arão a fazer para eles deuses "que nos conduzam" (32.1). Arão coleta ouro dos israelitas para transformá-lo, "dando-lhe a forma de um bezerro" como seu deus (32.4). Quando Moisés desce da montanha, carregando as tábuas de pedra gravadas pelo dedo de Deus, ele fica furioso diante da traição. Os israelitas substituíram Javé, que os libertou do Egito, pelo bezerro de ouro.

Imaginemos agora um cenário diferente. Arão e os israelitas estão paciente e fielmente aguardando o retorno de Moisés. Por fim, eles o veem descendo. Mas, em vez das tábuas de pedra, ele carrega o bezerro de ouro. E então eles o ouvem dizer: "Eis aí os seus deuses, ó Israel, que tiraram vocês do Egito!" (32.4). O próprio profeta se teria agora envolvido numa substituição idólatra. Ele subiu à montanha para encontrar-se com Deus, mas voltou com um ídolo. Impossível? Acontece todos os dias, e com os melhores profetas comuns, apesar de não acontecer de modo tão grosseiro: os profetas podem trazer da montanha as tábuas de pedra, mas pelo menos parte do que está escrito nelas pode ser identificado como provindo do bezerro de ouro e não do verdadeiro Deus de Israel. Por exemplo, às vezes, por alguma estranha alquimia, "Tome sua cruz e siga-me" se transforma em "Eu vou revelar o campeão que você é",[9] ou então a própria cruz se torna um símbolo de destruição e violência, e não de amor criativo que supera a inimizade.

Falhas do retorno

Toda falha da ascensão é ao mesmo tempo uma falha do retorno. Se os profetas simulam uma ascensão à montanha de Deus ou descem da montanha com o que parece ser a palavra de Deus mas é de fato uma mensagem do bezerro de ouro, o *retorno* também fica comprometido. Os profetas podem estar transformando o mundo, mas Deus não está envolvido na transformação; eles o estão transformando em seu próprio nome ou em nome de algum deus estranho.

Há, porém, outras falhas da fé que não se referem especificamente à ascensão, mas mesmo assim ameaçam a integridade do retorno. Essas "falhas do retorno" surgem principalmente de duas formas: a ociosidade e a coerção da fé, e elas correspondem *grosso modo* às duas espécies de pecados categorizados na tradição cristã: pecados de omissão, nos quais deixamos de fazer o que devemos fazer, e pecados de comissão, nos quais fazemos o que não devemos fazer.[10] Neste livro eu me ocupo basicamente da ociosidade e da tirania da fé, que discuto nos capítulos 2 e 3, respectivamente. Apresento esses conceitos aqui a fim de introduzi-los e situá-los no âmbito de um contexto mais amplo de falhas da fé cristã como uma religião profética.

Ociosidade da fé

A primeira falha do retorno é a *ociosidade da fé*. Um dos principais propósitos da fé cristã é modelar a vida de pessoas e comunidades. No entanto, a fé muitas vezes se mostra ociosa em diversas esferas da vida, patinando sem sair do lugar como a roda de um carro atolada na neve. Com certeza, a ociosidade da fé nunca é total — se fosse total, essa fé logo seria descartada, uma vez que a fé que nada produz nada significa.

Algumas vezes a fé se mostra ociosa por causa da *sedução da tentação*. Até mesmo pessoas comprometidas com altos padrões morais sucumbem à tentação: fraude nos negócios, infidelidade no casamento, plágio em trabalhos acadêmicos, abuso da autoridade sacerdotal, e uma gama de outras coisas erradas. A fé exige que os cristãos levem uma vida de integridade, mas nós nos percebemos impotentes diante da atração do mal. Criaturas finitas, frágeis e falíveis que somos, facilmente sucumbimos às seduções do poder, das posses ou da glória.

Ceder é um ato antigo como a humanidade, mas igualmente antiga é a vitória sobre a tentação. Para viver com integridade, é importante saber o que é certo e o que é errado, ser educado moralmente. Todavia, simplesmente *saber* não basta. Um caráter virtuoso é mais importante do que o conhecimento moral. A razão é simples: como admite pessoalmente o apóstolo Paulo em Romanos 7, a maioria das pessoas que fazem o que é errado sabe o que é certo, mas se sente irresistivelmente atraída para o lado oposto. A fé se mostra ociosa quando o caráter esmorece.

Talvez até com maior frequência em nosso mundo moderno, a fé se mostre ociosa como resultado do *poder dos sistemas*. A sedução da tentação é ampliada pelo poder dos sistemas que nos cercam e nos quais desempenhamos um papel. O mesmo acontece na maioria das esferas da vida, mas talvez acima de tudo no quase onipresente mercado, quer se trate do mercado de ideias, bens e serviços, influência política ou da comunicação de massa.

Mais de um século atrás, Max Weber terminou sua obra clássica *A ética protestante e o "espírito" do capitalismo* referindo-se ao mercado moderno como uma "jaula de ferro".[11] O que ele tinha em mente é mais ou menos isto: se você entrar no jogo, terá de jogar de acordo com regras preestabelecidas, o que no caso do mercado significa que você precisa maximizar o lucro; essas regras, e não considerações morais, determinam como o jogo é jogado. O mercado prende você numa armadilha, obrigando-o a agir de acordo com as regras dele. Outros sugeriram que grandes organizações burocráticas funcionam de modo semelhante.[12] Um soldado em sua unidade, por exemplo, está muitas vezes disposto a fazer o que nunca faria em sua vida privada. Ele está simplesmente acatando ordens, ou assumindo um papel que o sistema lhe atribui.[13]

Nessas situações, é possível que a fé não deixe completamente de modelar a vida das pessoas e a realidade social delas. Em vez disso, sua ação talvez se limite a uma esfera restrita: à vida da alma, à moral pessoal, a questões de família ou à vida da igreja. Em consequência disso, a fé se torna ociosa em pontos importantes nos quais ela, como fé profética, deveria ser ativa.

Não surpreende que essa esfera de ação da fé muitas vezes seja limitada, especialmente nas condições da modernidade. O mundo moderno, diferenciado como é em múltiplas esferas relativamente autônomas, é um mundo de muitos deuses.[14] Cada esfera — política, direito, comércio, mídia ou qualquer outro campo — impõe suas próprias regras aos que dela desejam participar. Nesse novo politeísmo, seguimos a voz de um deus em nossa profissão, de outro em casa e talvez ainda de um terceiro na igreja. Cada esfera resiste às exigências de um único Deus que modela a vida em sua totalidade.[15]

A maioria das pessoas que vivem no mundo moderno já teve a experiência do conflito de lealdades divididas. Embora muitos tenham cedido, outros muitos também resistiram. Os que resistem se recusam a entrar no jogo quando as regras conflitam com suas convicções religiosas profundamente arraigadas. Eles tentam transformar seus locais de trabalho de dentro para fora; esforçam-se para criar regras mais justas de engajamento, e às vezes até trabalham para estabelecer instituições alternativas de modo que as exigências de seu trabalho possam estar em sintonia com as exigências de sua fé. Por quê? Porque eles sabem que devem ser gente de fé não apenas no santuário interior de sua alma, em sua vida privada, ou quando estão reunidos na igreja com pessoas que pensam como elas, mas também nas atividades do dia a dia, nos diversos locais em que realizam seu trabalho diário.

A ociosidade da fé pode também surgir de um *mau entendimento da fé*. Um entendimento errado de como nossa fé deve funcionar pode oferecer um terreno fértil para a sedução da tentação e do poder dos sistemas. Em algumas dessas situações, a fé simplesmente deixa de modelar realidades e, em vez disso, oferece aos crentes algum outro benefício. Em seu texto da fase inicial, de certa forma canhestramente intitulado "Rumo a uma crítica da *Filosofia do Direito* de Hegel", o jovem Karl Marx fez a famosa observação de que a religião — a fé cristã, queria ele dizer basicamente — é "o ópio do povo".[16] É uma droga e é um "sedativo" ou "calmante" que mantém as pessoas imunes à dor das opressivas realidades sociais e as consola com um onírico mundo de felicidade celestial. Por outro lado, a religião pode funcionar como um "euforizante", um "estimulante" que energiza as pessoas para suas tarefas imediatas — função essa que Marx não percebeu na religião.

Mas o ponto mais importante que Marx não percebeu é que, quando a fé cristã funciona apenas como uma droga que acalma ou amplia a *performance*, ela está de fato funcionando *mal*. Esse erro não foi cometido exclusivamente por Marx ou, de modo mais geral, pelos críticos do cristianismo. Muitos daqueles que abraçaram a fé também deixaram passar esse ponto de suma importância, desde pelo menos a época dos profetas do Antigo Testamento até hoje. Essas pessoas usaram elas mesmas a fé mais ou menos como uma droga. A fé interpretada desse modo é, num sentido crucial, ociosa e não pode exercer nenhum efeito de transformação na vida pessoal ou social.

Note-se que escrevo sobre as falhas da fé quando ela serve *apenas* para aliviar — ou talvez, num sentido mais amplo, para curar — e para energizar. Na Bíblia cristã, há duas grandes tradições que mais ou menos tratam dessas duas funções da fé. São as tradições da "libertação" e da "bênção". A fé ajuda a restaurar almas e corações abatidos, o que inclui a cura das feridas e decepções que nos são impostas pelas asperezas e frustrações da vida cotidiana. A fé também nos energiza para que possamos desempenhar nossas tarefas à perfeição, com o poder, a concentração e a criatividade indispensáveis (ver capítulo 2).

Então por que falar das falhas da fé nesse aspecto? Vamos colocar o caso da seguinte maneira: se a fé *apenas* cura e energiza, então ela é meramente uma muleta que se pode usar livremente, não um estilo de vida. Mas a fé cristã, sendo uma religião profética, ou é um estilo de vida ou é uma paródia de si mesma. Falando sem meias palavras e ecoando a epístola de Tiago, uma fé ociosa não é de modo algum uma fé cristã.

A fé cumpre sua tarefa do modo mais apropriado quando ela (1) nos impõe uma jornada, (2) nos guia pelo caminho e (3) dá sentido a cada passo que damos. Quando abraçamos a fé — quando *Deus nos* abraça —, nós nos tornamos novas criaturas constituídas e chamadas para fazer parte do povo de Deus. Esse é o começo da jornada: nossa inserção na história do engajamento de Deus com a humanidade. Quando partimos para essa jornada, a fé nos guia oferecendo-se como um estilo de vida que mostra caminhos a tomar e ruelas escuras ou becos sem saída a evitar, e que nos diz quais são nossas tarefas específicas na grande história da qual somos parte. Finalmente, essa história em si confere significado a tudo o que fazemos, da ação mais insignificante até a mais grandiosa. O que fazemos está de acordo com essa história? Então ela é significativa e assim permanecerá, resplandecendo como ouro que resiste à corrosão. O que fazemos se choca com essa história? Então ela, em última análise, não tem sentido e queimará como palha, mesmo quando a consideramos a atividade mais emocionante e satisfatória em que jamais nos engajamos.

Para a fé cristã não se mostrar ociosa no mundo, o trabalho dos médicos e dos garis, dos executivos e dos artistas, dos pais que executam tarefas caseiras e dos cientistas precisa estar inserido na história do mundo de Deus. Essa história precisa apresentar as regras mais básicas do "jogo" que é jogado em todas essas atividades. E essa história precisa modelar o caráter dos jogadores.

Coerção da fé

A segunda falha do retorno é a *coerção da fé*. Nesse caso, a fé não é ociosa, mas ativa — hiperativa, na verdade —, impondo-se e oprimindo os que não a querem. Com muita frequência no mundo cristão moderno, as tradições oscilam entre as duas falhas do retorno. No intuito de superar a ociosidade, a fé se torna coercitiva; no intuito de evitar a coerção social, a fé se torna ociosa.

Às vezes a fé profética será sentida como opressora mesmo quando talvez não o seja. Os que defendem o "politeísmo" social contemporâneo considerarão opressora qualquer fé que afirme que Deus é o Deus de toda a realidade, e eles farão isso sem levar em conta como essa fé tenta ver a influência de Deus em todos os aspectos da vida. Por exemplo, eles podem querer que pessoas religiosas deixem seus trajes religiosos — seus textos sagrados e modo de pensar fundamentado em convicções religiosas — em casa ou na igreja e vistam trajes seculares em seus locais de trabalho ou em espaços públicos. Caso se recusem a usar o traje adequado para determinada ocasião, serão vistas como gente que quer empurrar sua religião goela abaixo dos outros cidadãos. Da perspectiva de quem crê que a fé deve modelar sua visão da prosperidade e do bem comum, falar abertamente de religião não é nada opressor; é antes salutar. Essas pessoas estariam traindo a si mesmas se se calassem ou não apresentassem razões religiosas para as suas posições.[17] E os defensores de uma fé profética verão tentativas de impedi-los de pôr em prática sua fé na vida privada e na esfera pública como secularismo sendo-lhes enfiado goela abaixo.

Embora o mero fato de falar abertamente de religião na arena pública não seja opressor, o *modo* como os praticantes de uma religião usam a fé para tratar de questões de interesse público pode ser, e muitas vezes é, opressor. É possível que os adeptos de uma religião profética estabeleçam objetivos para si mesmos (por exemplo, um ataque militar preventivo) e depois deixem que a fé legitime meios espúrios para atingi-los (por exemplo, alegando que os inimigos acreditam num Deus malévolo e são, portanto, pessoas maldosas).[18] Com maior frequência, os adeptos de uma religião profética permitem que a fé lhes mostre os fins a atingir (por exemplo, proteger uma vida por nascer ou abolir a pena de morte), mas não deixam que a fé determine os meios para atingir esses fins (os oponentes nem sequer são respeitados, sem falar em serem tratados com benevolência e beneficência). Em todos esses casos — e em muitos outros —, a fé mostra falhas por tornar-se um instrumento de opressão.

Geralmente são os cristãos que se preocupam com a ociosidade de sua própria fé. Para eles, a fé é um bem precioso, o mais valioso recurso pessoal e social. Quando ela é esquecida, os seres humanos não podem prosperar adequadamente, e o bem comum — não apenas o interesse particular dos cristãos — padece. Contrastando com isso, muitos não cristãos de hoje considerariam a ociosidade da fé uma bênção menor. A fé *ativa* é perigosa, acreditam eles, e em si mesma é um veneno. Como se expressou recentemente o crítico Sam Harris em *A morte da fé*, a Bíblia contém "um monte de coisas absurdas que destroem a vida".[19] Quando os cristãos tomam a Bíblia como sua autoridade suprema, afirma Harris, eles agem de modos violentos, opressores e destruidores da vida, minando o bem comum.

Tome-se, por exemplo, um soldado sérvio desfilando sobre um tanque de guerra e triunfalmente exibindo três dedos no ar — símbolo da Santíssima Trindade, sinal de que ele pertence a um grupo que tem uma crença correta sobre Deus. Nitidamente ele usou a fé, em algum sentido, para conferir legitimidade ao seu desfile triunfal sobre sua máquina mortífera. E ele não é o único a ataviar o arregalado deus da guerra ou a feroz deusa da nacionalidade com o manto legitimador da fé religiosa. Alguns de seus inimigos croatas fizeram o mesmo, como também fizeram muitos americanos que avidamente fundiram a cruz e a bandeira; e todos eles seguem nas pegadas de cristãos que, através dos séculos, em nome da fé, deixaram atrás de si um rastro de sangue e lágrimas.

Todavia, alguns críticos (e também alguns que buscam a fé!) perguntam enfaticamente: "Mas não é exatamente isso que a fé cristã faz?". Na companhia de muitos imersos na sofisticada cultura do pós-Iluminismo ocidental, eles procuram eliminar a fé como um fator da vida social, talvez até erradicá-la totalmente. Como devem responder os cristãos? Com certeza não tentando negar o óbvio: uma longa e perturbadora história da cumplicidade de sua fé com a violência (mesmo que essa cumplicidade não constitua, de modo algum, a maior parte da história cristã)!

Em vez disso, os cristãos devem mostrar como a fé, embora tendendo a ser mal empregada, é um estilo salutar de vida e revelar em todas as esferas a sua visão do que é uma vida bem vivida. Mas mesmo no caso de aceitarmos que o cristianismo em sua base não é violento e que, praticado de maneira apropriada, ele contribui para a prosperidade humana em vez de diminuí-la, ainda podemos nos perguntar: por que os *cristãos* foram tantas vezes opressores e violentos? Há três razões principais para isso, e elas em parte correspondem às três razões da ociosidade da fé: fé superficial (o que corresponde à fé mal interpretada), fé aparentemente irrelevante (o que corresponde mais ou menos ao poder dos sistemas), e relutância em seguir o caminho estreito (o que corresponde à sedução da tentação).

Primeiro, uma *fé superficial*. Já mencionei como alguém poderia tomar a fé como uma fonte de energia ou de cura para a alma e o corpo, mas não como um guia para formar uma visão da prosperidade humana. Ou então alguém poderia abraçar os fins determinados por sua fé (para alguns, por exemplo, preservar a santidade da vida por nascer ou de dispositivos sociais justos), mas não os meios pelos quais a fé determina que esses fins sejam atingidos (persuasão em vez de violência, uma vez que dois erros não constituem um acerto, como observa Sócrates em *Críton*).[20] Isso resulta numa fé superficial: fé que não tem controle completo na formação do modo de vida dos cristãos, mas que é empregada ou para atingir objetivos estabelecidos por valores não relacionados com ela ou tem espaço para definir objetivos, mas não os meios de atingi-los. Se isso estiver correto, então a cura para a violência motivada pela religião não é menos fé, mas sim *mais* fé: fé em sua plena abrangência, fé praticada com integridade e responsabilidade por seus homens e mulheres santos, fé ponderada com responsabilidade por seus grandes teólogos.

Segundo, uma *fé aparentemente irrelevante*. Por que os que abraçam a fé não quereriam encarnar plenamente a sua visão? Às vezes a fé original parece ultrapassada, impraticável, irrelevante. Pode uma fé originalmente abraçada por uma minoria — às vezes, ainda por cima, uma minoria perseguida — nos dizer alguma coisa útil sobre governar, administrar um grande negócio ou defender uma nação contra inimigos? Pode uma fé nascida dois mil anos atrás ter alguma relevância para democracias que lutam para saber como usar seu vasto potencial tecnológico para o bem da humanidade e não para a sua própria destruição? No fundo, tememos que nossa fé possa de fato ser irrelevante; percebemos uma tensão, e então suspendemos a visão moral da fé e usamos a fé simplesmente para abençoar o que julgamos que é certo fazer em qualquer caso. Exige-se um árduo trabalho intelectual e espiritual para entender e viver de modo autêntico a fé em circunstâncias mudadas. E esse é o tipo de trabalho que não pode ser colocado apenas sobre os ombros de teólogos; é um esforço no qual se devem envolver acadêmicos engajados numa variedade de disciplinas e fiéis de todas as esferas da vida.

Terceiro, uma *relutância em seguir o caminho estreito*. Quando alguém nos desonra ou desonra nossa comunidade, sentimos o impulso da vingança — e deixamos de lado a ordem de amar nossos inimigos, de mostrar benevolência e beneficência para com eles. Ou acreditamos que nossa cultura está percorrendo uma estrada perigosa e queremos mudar sua rota autodestrutiva — mas nos esquecemos de que os fins que a fé cristã exalta não justificam deixar de lado as severas críticas acerca dos meios apropriados. Ou vemos um imenso potencial para curar enfermidades debilitantes e dolorosas na pesquisa com células-tronco — e não sabemos exatamente o que dizer sobre a destruição de embriões aparentemente inevitável para que a pesquisa avance com êxito, e assim colocamos em segundo plano as exigências da fé relativas a essa questão. Nós primeiro consideramos impraticável o esforço moral que nossa fé nos impõe; depois o impraticável descamba para o "excessivamente exigente", e no fim acabamos rejeitando o que uma vez consideramos certo como linha de ação e que já não é viável. Dessa e de muitas outras maneiras, moldamos a fé para adequá-la aos nossos desejos e à nossa capacidade de viver em determinada situação.

E assim voltamos à questão do caráter. Além de aplicar uma fé entendida de modo autêntico a várias esferas da vida, precisamos de pessoas com formação adequada que resistam a formas opressoras de asseverar a fé. Para os cristãos, a fé produz efeitos devastadores quando se deteriora e se torna uma mera cultura pessoal ou um recurso cultural de pessoas cuja vida se guia por qualquer outra coisa exceto essa fé.

2
Ociosidade

A ociosidade, argumentei no capítulo anterior, é uma das principais falhas da fé. Em vez de estabelecer objetivos e motivar alguém a atingi-los, a fé ociosa patina no mesmo lugar, como uma roda presa num buraco de gelo. Sugeri que há pelo menos três razões para a fé se mostrar ociosa. A primeira diz respeito ao caráter dos crentes; para algumas pessoas, a fé que abraçam exige demais, e então elas fazem suas escolhas, como num restaurante de comida a quilo, enchendo a bandeja com doces, mas deixando de lado o brócolis e os peixes. A segunda razão é que os crentes religiosos se veem constrangidos por grandes e pequenos sistemas nos quais vivem e trabalham; para prosperar, ou até mesmo para sobreviver, eles sentem que precisam obedecer à lógica desses sistemas, e não às exigências da fé que abraçam. A terceira razão da ociosidade da fé diz respeito à própria fé, que ou não se aplica às novas circunstâncias ou não parece relevante para questões contemporâneas — da energia nuclear às descobertas da neurociência. Com a combinação dessas três razões da ociosidade da fé, não deve causar nenhuma estranheza que ela seja mal-entendida e vista como uma droga que melhora o desempenho ou um bálsamo que alivia o sofrimento, e não como um recurso orientador da vida neste mundo.

Neste capítulo, vou sugerir como entender e praticar uma fé ativa. Passo a examinar quatro maneiras básicas pelas quais a fé se relaciona com a vida do dia a dia — com o trabalho diário, num sentido muito amplo. Essas maneiras estão intimamente relacionadas com quatro questões fundamentais que levantamos quando nos envolvemos com qualquer atividade: (1) Como vou ser bem-sucedido? (2) Como lido com o fracasso? (3) O que devo fazer e o que posso deixar de fazer? (4) Por que devo me engajar nesta atividade em primeiro lugar?

Bênção

Em todas as nossas atividades, e certamente em todo o nosso trabalho, nós nos esforçamos para obter bom êxito. Isso significa que queremos (1) realizar o que nos propusemos fazer, (2) realizá-lo com excelência e na esperança de (3) contribuir para algum bem maior. Além da nossa habilidade natural e do treinamento, para obter bom êxito precisamos de algo que, *grosso modo*, podemos descrever como *poder* — uma capacidade de exercer um esforço continuado — manter a atenção continuamente focada em nossos projetos e atuar em situações críticas. Segundo, para obter bom êxito muitas vezes precisamos de *criatividade* — a capacidade de imaginar coisas novas e descobrir novas maneiras de fazer coisas velhas. A criatividade é particularmente importante nas culturas aceleradas e altamente competitivas de hoje, que dão grande importância à novidade.

Precisamos de poder e criatividade para obter bom êxito, mas vivemos num mundo frágil e incerto e nós mesmos somos criaturas frágeis e imprevisíveis. Essa é a condição metafísica na qual vivemos. Nossa vontade nem sempre controla nossa atividade ou seu resultado. Ficamos cansados e exaustos; nos confundimos e a atenção se dispersa; sob a pressão de um momento crítico, cometemos erros graves. Além disso, mesmo depois de termos feito todo o possível, o que investimos não nos garante o resultado final. O árduo trabalho nem sempre é coroado de êxito porque algumas vezes o inesperado e o indesejado interferem. Ou talvez trabalhemos até altas horas da noite, mas nenhuma ideia brilhante nos ocorre.

Uma vez que poder e criatividade são escassos, muitas vezes, para obter êxito, buscamos a ajuda do que descrevemos como o "poder superior". Atletas oram em situações críticas, estudantes oram durante os exames, investidores de alto risco oram antes de fechar negócios importantes. Os sofisticados entre nós às vezes dispensam essas orações. Primeiro, as preocupações que as originam parecem mesquinhas no esquema geral das coisas. Deus realmente se importa com qual time vai vencer ou com que nota vou tirar? Segundo, nos preocupamos com o fato de que essas orações possam implicar um mau uso da fé. Envolver a ajuda divina em situações críticas parece reduzir Deus a uma droga que melhora o nosso desempenho e, com efeito, dá uma vantagem injusta a uma das partes. Finalmente, algumas pessoas talvez se incomodem porque essas orações refletem um entendimento errado do relacionamento de Deus com o mundo. Alguém poderia argumentar que essas orações pressupõem que esse relacionamento se baseie em um "Deus dos resultados". Você ora e, milagrosamente, o conhecimento é infundido na sua cabeça, embora você não tenha estudado com muito afinco. Assim, a oração serve para evitar responsabilidades.

Mas, apesar dessas preocupações, das quais tratarei brevemente daqui a pouco, é importante vincular Deus ao bom êxito neste mundo. As Escrituras estabelecem essa ligação de modo bastante consistente, especialmente na tradição da bênção de Deus no Antigo Testamento. Nas Escrituras hebraicas há, *grosso modo*, duas espécies de bênçãos. A primeira é a bênção do poder de Deus como sustentador do universo, pela qual ele continuamente preserva a vida humana e propicia sua prosperidade. É isso que significa, por exemplo, que toda a raça humana tenha sido abençoada na aurora da criação (Gn 1.28).[1] A segunda bênção é uma atividade muito específica de Deus endereçada a uma iniciativa humana particular. Deus coroa um esforço com sucesso, seja na procriação, nos negócios ou na guerra (cf. Gn 26.12-13).

Se você entrar em qualquer grande livraria e examinar a seção de espiritualidade e trabalho, verá que o tema principal da maioria dos livros trata de como aproveitar energias espirituais para ser bem-sucedido.[2] Os "teólogos" da Nova Era dirão ao leitor predisposto como prosperar, até mesmo como vencer uma competição. Opondo-se a isso, os teólogos cristãos, especialmente os das denominações tradicionais, muitas vezes tentaram distanciar Deus do sucesso mundano, concentrando-se em vez disso nas exigências que Deus nos impõe. Como observarei em breve, as exigências divinas são extraordinariamente importantes para a fé não se mostrar ociosa em alguns aspectos cruciais, especialmente no clima de hoje, quando parecemos estar infestados por escândalos de figurões em muitas esferas da vida, que vão da indústria ao jornalismo, à ciência, à política, à academia e, da maneira mais assustadora para os cristãos, ao ministério religioso.

Mas, basicamente, Deus não é um cobrador; Deus é um doador.[3] É isso que a tradição da bênção revelada nas Escrituras hebraicas diz expressamente. A generosidade de Deus se confirma não apenas na esfera da salvação, quando o bem-estar de nossa alma está em jogo. Confirma-se também na esfera da criação e, portanto, na esfera das atividades de cada dia. Se Deus é a fonte do nosso ser, então realizamos todo o nosso trabalho pelo poder que provém de Deus. Deus dá e, portanto, nós existimos e podemos trabalhar. Deus dá e, portanto, nós podemos obter êxito em nosso trabalho.

Nossos esforços algumas vezes são mal direcionados e precisam ser corrigidos, como quando queremos o sucesso às custas de outras pessoas. Podemos desejar de modo inapropriado que Deus atue em nosso favor, por exemplo em competições esportivas. (O time que Deus ajudasse estaria trapaceando!) Mas nenhum de nossos esforços e preocupações é pequeno demais para Deus. Ele quer nos conferir poder para que sejamos bem-sucedidos. Deus é o poder da nossa existência e, portanto, também o poder do nosso sucesso. Além disso, nosso trabalho mundano faz parte do nosso serviço para Deus. É Deus que nos sustenta; é Deus que nos dá poder e criatividade; e, no fim das contas, é para Deus que trabalhamos. Portanto, é muito apropriado pedir que Deus abençoe nossos esforços.

Todavia, quando pedimos a Deus para sermos bem-sucedidos, será que não estamos abdicando de nossa própria responsabilidade? Estaríamos fazendo isso se receber a bênção de Deus significasse que Deus fez coisas que de outro modo nós teríamos de fazer. Mas esse não é o caso. Quando Deus abençoa, ele não cria produtos acabados; Deus trabalha por meio de seres humanos para criar fins divinos. Com respeito ao nosso sucesso no trabalho, nós oramos não tanto para que Deus milagrosamente produza um resultado quanto para que ele nos torne instrumentos dispostos, capazes e efetivos na mão dele — e foi para isso que fomos criados desde o início.[4]

Libertação

A segunda maneira pela qual a fé faz diferença em vez de simplesmente mostrar-se ociosa tem a ver com colapsos, isto é, com fracassos em nosso trabalho. Ninguém dentre nós gosta de admitir fracassos. Projetamos nossa vida para manter o fracasso longe de nós e, quando ele acontece, para torná-lo invisível. Em consequência disso, para nós é difícil pensar em nós mesmos como seres fracassados. No entanto, quando trabalhamos, sempre corremos o risco de algum tipo de fracasso, e nos sentimos profundamente perturbados pelos fracassos que experimentamos. Precisamos de ajuda não apenas para sermos bem-sucedidos, mas também depois de termos fracassado.

Colapsos ocorrem apesar de nossas precauções: adoecemos num momento crítico, nos machucamos no trabalho, e assim por diante. Deixamos de atingir nossos objetivos a despeito de nossos melhores esforços; trabalhamos arduamente e, apesar disso, tiramos uma nota baixa, somos demitidos do emprego ou perdemos um grande negócio para um concorrente. É ainda mais difícil quando fazemos a coisa certa e, precisamente por isso, fracassamos. Acontece também o fracasso que reside no próprio sucesso. Atingimos o topo, e ainda nos sentimos insatisfeitos; como uma névoa gelada, a melancolia envolve o nosso próprio sucesso. Num mundo finito, frágil e altamente competitivo, o fracasso é sempre uma ameaça.

Quando as pessoas fracassam e as coisas desmoronam, elas muitas vezes se voltam para a fé. Um crítico pode objetar mais uma vez: Se você procura Deus depois do seu fracasso, será que não está reduzindo Deus a um servo de sua necessidade? Se na hora do sucesso Deus funciona como uma droga que melhora o desempenho, será que no fracasso Deus não funciona como um *band-aid* divino? Mas se Deus se preocupa conosco, ele vai nos conferir poder para o sucesso (bem como definir para nós o que significa sucesso!) e vai nos ajudar quando fracassamos.

Nas Escrituras hebraicas, juntamente com a tradição da bênção de Deus, há também a tradição da *libertação* enviada por Deus (cf. Êx 14.10-13; Sl 65.5; Is 51.6-8).[5] No âmago da tradição da libertação, encontramos, de modo talvez surpreendente, o problema do trabalho humano. A libertação do trabalho escravo no Egito foi o ato definidor da redenção de Deus para o povo de Israel. Patrões cruéis oprimiam os israelitas, e Deus os redimiu. Assim, em grande medida, o êxodo do Egito dos filhos de Abraão e Sara é a redenção de um trabalho ruim.

Consideremos, primeiro, nosso frequente fracasso apesar de nossa integridade. Como é que a fé faz diferença? Deus promete que, se fizermos o que é certo, *no fim* vamos inevitavelmente alcançar a felicidade ou conseguir o sucesso no sentido mais amplo desse termo. Ficamos muitas vezes intrigados perguntando por que devemos fazer o que é moralmente bom — e não apenas pelo benefício que isso nos proporciona — quando os que praticam o mal muitas vezes prosperam. A resposta de Immanuel Kant foi que só faz sentido alguém fazer o bem simplesmente pelo bem em si se o mundo estiver projetado de tal maneira que ninguém precise agir imoralmente para enfim ser feliz.[6] Ele concluiu que somente Deus pode ser a fonte de um mundo assim; somente Deus pode garantir que uma vida virtuosa e a felicidade no fim das contas se equiparem.

Em segundo lugar, mesmo quando fracassamos, quer tenhamos feito o melhor possível quer não tenhamos conseguido fazer o nosso melhor, Deus nos confere uma sensação de dignidade que vai além dos sucessos ou fracassos. É verdade que o trabalho é parte integrante de nossa identidade.[7] Nossa pessoa é formada em parte pelo tipo de trabalho que fazemos e o tipo de trabalhadores que somos. Mas somos mais, muito mais, do que o nosso trabalho porque somos os amados filhos de Deus tanto no sucesso como no fracasso. Deus não nos ama por causa do nosso sucesso, e Deus não deixa de nos amar quando fracassamos. Quando se trata de nosso senso de dignidade, o amor de Deus supera todo o resto.[8]

Finalmente, Deus nos liberta do vazio melancólico que às vezes acompanha nosso próprio sucesso. Conseguimos o que queríamos — temos o escritório da esquina — e ainda nos sentimos vazios. Somos como a criança que quer um brinquedo e, quando o consegue, brinca com ele por um dia ou dois e depois insiste pedindo outro. A melancolia inevitavelmente se instala quando nos esquecemos de que somos feitos para encontrar satisfação no Deus infinito, e não em qualquer objeto finito.[9] Ela também se instala se trabalharmos só para nós mesmos e não virmos o nosso trabalho como um serviço para uma comunidade e como parte do contínuo engajamento de Deus com a criação. Voltarei a essa ideia quando tratar do relacionamento entre Deus e significado.

Interlúdio: ociosidade e ocupações mal dirigidas

As duas funções da fé examinadas até aqui são significativas por si sós, e, no entanto, se nos limitássemos a elas, elas se transformariam em falhas da fé — pelo menos em se tratando de fés proféticas. As funções da fé seriam reduzidas, mais ou menos, à energização e à reparação. A fé não orientaria de nenhum modo significativo o estilo de vida das pessoas neste mundo. Num sentido crucial, a fé ainda seria ociosa, porque as fés proféticas devem ser um estilo de vida, não apenas um recurso "religioso" de um estilo de vida cujo conteúdo é modelado por fatores externos à fé em si (tais como a segurança nacional, a prosperidade econômica ou a sede de prazer, poder e glória). Num outro sentido, obviamente, a fé que apenas abençoa e redime estaria sempre ocupada — problematicamente ocupada abençoando e redimindo aquilo que, da perspectiva da própria fé, não deve ser abençoado nem redimido. É assim que a ociosidade da fé prepara o caminho para a coerção da fé, uma falha que abordarei no próximo capítulo. Uma fé que faz autêntica diferença é uma fé que nos orienta no que fazemos e modela nosso entendimento do mundo e do lugar que nele ocupamos.

Orientação

Como a fé orienta o que devemos fazer? Aplicada ao trabalho concebido de modo geral, a questão tem um lado moral (que tipo de trabalho é moralmente admissível e recomendável?) bem como um lado pessoal (em que devemos concentrar nossas energias e como devemos empregar nossos talentos?).[10] Tratarei aqui apenas do lado moral da questão, que é claramente mais fundamental, pois não podemos ser chamados e dotados por Deus para fazer qualquer coisa que não seja moralmente admissível.

É possível que não nos sintamos particularmente atraídos para ser coletores de lixo, mas, de um ponto de vista moral, esse é um tipo de trabalho decente bem como uma necessidade pública. Outros tipos de trabalho, porém, são moralmente inaceitáveis. Mesmo se pudesse ganhar rios de dinheiro, eu nunca deveria ser um matador de aluguel; ou mesmo se eu considerar uma causa como sendo boa, não posso tornar-me um terrorista para promovê-la. Mas há alguns tipos de trabalho que podem ser ambíguos. Será que é moralmente permissível produzir, comercializar e vender armas de fogo ou brinquedos sexuais (só para mencionar produtos referentes a dois dos mais fortes impulsos humanos)? Será que é moralmente permissível trabalhar numa indústria que polui excessivamente o ambiente?[11]

Talvez ainda mais importante seja o discernimento no *âmbito* dos tipos de trabalho moralmente aceitáveis. Lembremos uma importante distinção que muitas vezes se faz na teoria da guerra justa entre o direito de recorrer à guerra (*jus ad bellum*) e a conduta justa na guerra (*jus in bello*).[12] Segundo os proponentes da teoria da guerra justa, uma nação pode ter uma causa justa para a guerra e, no entanto, conduzir a guerra de modo injusto. O mesmo se aplica a todas as nossas atividades profissionais, não apenas ao trabalho de fazer a guerra. No âmbito de um tipo de trabalho que é moralmente aceitável, ainda precisamos decidir o que é ético e o que não é, e agir de acordo com a decisão tomada. O cenário mais amplo no qual trabalhamos — uma companhia, um setor ou o mercado como um todo — exercerá pressão sobre nós para que alcancemos o sucesso mensurado por seus padrões. E, no entanto, se não quisermos pendurar nossa fé no cabide junto à porta de entrada do nosso local de trabalho, teremos de deixar que a fé tenha a palavra final sobre o que devemos ou não devemos fazer.

Note-se que a orientação moral apresentada pela fé difere das limitações legais no âmbito de determinada política. As leis são criadas em parte para proteger o público de pessoas e instituições inescrupulosas. No entanto, por mais importantes que sejam as restrições legais, elas por si sós não são suficientes. O fato de que algo é legal não significa que seja moral.

A questão moral é a questão do certo contra o errado, não simplesmente a questão do legal contra o ilegal, embora, naturalmente, essas duas questões muitas vezes se sobreponham. É legal dirigir companhias que exploram o trabalho infantil em países pobres exatamente como em muitos lugares é legal poluir gravemente o ambiente. Mas é moral fazer isso? Há, obviamente, zonas cinzentas quando se trata de questões morais, e às vezes, independendo do que fazemos, parece que vamos ultrapassar a fronteira do que é moralmente bom.

Finalmente, uma fé que funcione apropriadamente nos estimula a ir além do que é moralmente permissível e fazer o que é moralmente *excelente*. Alguns anos atrás, durante um coquetel formal, eu estava conversando com alguém que se apresentou como um pós-graduando da Universidade de Harvard. Estávamos batendo papo, por isso lhe perguntei o que ele fazia. E ele respondeu:

"Você vai rir se lhe disser o que faço."

"Me teste então", disse eu.

"Estou criando mictórios."

"Bem, a maioria dos homens precisa deles..."

"Estou projetando mictórios sem descarga."

Que coisa mais extraordinária! A água está se tornando um recurso cada vez mais escasso, e ele estava ajudando a economizar muita água; na verdade, quarenta mil galões/ano para cada mictório! O trabalho dessa pessoa era moralmente excelente, não apenas moralmente permissível.

Uma fé que faz diferença é uma fé que nos ajuda a discernir e nos motiva a fazer o que é certo e excelente. Alguns cristãos deixam Deus fora das dimensões morais de sua vida profissional. Eles acreditam que Deus salva almas e orienta a moralidade privada; que Deus até melhora o desempenho e cura as feridas. Deus parece distante, todavia, das decisões morais que enfrentamos em nossa vida pública. Quando limitamos Deus à esfera privada em vez de permitir que ele molde toda a nossa vida, estamos impedindo que nossa fé profética faça uma das partes mais importantes do seu trabalho. Numa de suas funções cruciais, ela é ociosa. E, o que é pior, a ociosidade nesse respeito a leva a falhar como fonte de bênção e libertação.

Significado

Não basta obtermos sucesso e evitarmos fracassos, nem mesmo quando, fazendo isso, levamos uma vida de integridade e excelência moral. Somos humanos em parte porque, quando trabalhamos ou quando nos divertimos, não fazemos aquilo "só por fazer". Nós *refletimos* sobre o significado do que fazemos, perguntando-nos para que fim fazemos o que fazemos. Também refletimos sobre se nossas respostas à pergunta "por quê?" fazem algum sentido. Será que o propósito pelo qual trabalho é suficiente para me sustentar não apenas como um "animal econômico", mas como ser humano? Ele está em sintonia com a natureza da realidade, isto é, com quem sou como ser humano físico, espiritual e comunitário, e com o modo como o mundo é constituído?[13] A fé que faz diferença propiciará respostas plausíveis a essas perguntas. De fato, essa é sua função mais importante.

Há muitas maneiras possíveis de interpretar o significado do trabalho. Um propósito que imediatamente vem à mente é o de pôr comida na mesa — e um carro na garagem ou um objeto de arte na sala de visitas, acrescentariam alguns. Expressando isso de modo mais abstrato, o propósito do trabalho é cuidar das necessidades da pessoa que o executa. Muitas vezes, batalhamos por certas coisas não tanto por precisarmos delas em algum sentido sério desse termo, nem sequer porque elas podem tornar a vida mais fácil e nos dar prazer, mas porque queremos ter mais coisas e coisas melhores do que nossos vizinhos. O trabalho e as coisas que o trabalho proporciona servem, então, para promover nossa autoestima e definir nosso sucesso. "Quem tem mais brinquedos vence."

Mas, quando consideramos que o principal propósito do nosso trabalho é cuidar de nós mesmos, inconscientemente ficamos atolados com as rodas patinando na insatisfação. O que possuímos sempre fica para trás em relação ao que desejamos, e assim nos tornamos vítimas da maldição de Lewis Carroll: "Aqui, veja só, você precisa correr o mais rápido possível para ficar no mesmo lugar".[14] Em nossos momentos de silêncio, sabemos que desejamos que a vida tenha peso e substância e cresça visando a alguma espécie de plenitude situada fora de nós mesmos. Nossa própria natureza e especialmente os prazeres da nossa natureza não bastam para conferir significado à vida. Quando o significado do trabalho se reduz ao bem-estar da pessoa que trabalha, o resultado é um sentimento de melancolia e vazio, mesmo no meio do aparente sucesso.

Um segundo propósito do trabalho é a prosperidade das comunidades. Somos seres comunitários. Nossa vida depende da comunidade, e até o sujeito que mais "se fez sozinho" foi influenciado de modo significativo por outras pessoas. Ele teve uma mãe e um pai, teve uma professora, teve uma cultura com suas práticas, instituições, tradições. E, por sermos seres tão comunitários, descobrimos o significado do trabalho na comunidade. Essa comunidade pode ser uma família cujas necessidades procuramos satisfazer, uma corporação pelo sucesso da qual trabalhamos, uma comunidade eclesiástica para cuja missão queremos contribuir, uma sociedade cívica cuja pujança lutamos para sustentar, ou até mesmo uma comunidade mundial.

Quando trabalhamos para o bem-estar de comunidades, nosso trabalho adquire uma textura de significado mais rica do que quando trabalhamos apenas para nós mesmos. Estamos então visando não apenas a nós mesmos; estamos vivendo em prol dos outros. Como lemos na Escritura: "Há maior felicidade em dar do que em receber" (At 20.35). A fé que faz diferença nos estimula a trabalhar por amor não só para nós mesmos, mas também para os nossos vizinhos próximos ou distantes.

Todavia, não está sequer claro que nossa preocupação com o bem-estar de uma comunidade é substancial o suficiente para conferir o significado apropriado ao nosso trabalho e à nossa vida. Se todo o significado do trabalho não fosse além do nosso próprio bem-estar e do bem-estar da comunidade, não seria o nosso trabalho, em certo sentido, semelhante à construção de castelos de areia na praia? É significativo enquanto duram a atividade e seus resultados, mas no fim das contas é fútil. Uma onda chega e varre todo o árduo trabalho, sem deixar nenhum traço dele. Se todo o significado do trabalho não fosse além do nosso próprio bem-estar e o bem-estar de nossas comunidades, o tempo voraz nos engoliria junto com os frutos de nossa labuta, e o trabalho continuaria em última análise sem sentido.[15] Podemos descobrir o supremo significado do nosso trabalho quando, ao trabalhar para nós mesmos e para a comunidade, trabalhamos para Deus.

Qual é a relação de Deus com o significado do nosso trabalho? Há quatro maneiras principais pelas quais Deus se relaciona com o significado do trabalho. Primeiro, Deus é, em certo sentido, nosso *empregador*. Quando nos esforçamos para satisfazer nossas necessidades e contribuir para o bem-estar da comunidade, trabalhamos para Deus, servimos a Deus. Aqui Deus nos atribui tarefas para cumprir no mundo — nos manda dominar o mundo (Gn 1) ou cuidar do jardim do Éden e cultivá-lo (Gn 2) —, e nós fazemos o que Deus nos manda.

Segundo, podemos considerar nosso trabalho não apenas o cumprimento de uma ordem de Deus, mas a realização dos *propósitos* de Deus no mundo. No evangelho de Mateus, ao descrever o julgamento das nações, Jesus diz às ovelhas à sua direita: "Venham, benditos de meu Pai! Recebam como herança o Reino que lhes foi preparado desde a criação do mundo. Pois eu tive fome, e vocês me deram de comer; tive sede, e vocês me deram de beber; fui estrangeiro, e vocês me acolheram; necessitei de roupas, e vocês me vestiram; estive enfermo, e vocês cuidaram de mim; estive preso, e vocês me visitaram" (25.34-36). Tudo aquilo que as "ovelhas" fizeram ao menor dos membros da família de Jesus, elas o fizeram a ele. Deus ama a criação e todas as criaturas, e quando cuidamos do bem-estar delas nós trabalhamos para Deus, trabalhamos para os propósitos de Deus e assim também para Deus.

Terceiro, em nosso trabalho *cooperamos* com Deus, e isso confere significado ao trabalho. Observe-se o segundo relato da criação no qual, na forma de uma história, o propósito original de Deus para a humanidade é exposto com clareza (Gn 2.4-25). Ele começa afirmando que não havia nenhuma vegetação na terra depois que Deus a criou. Duas razões são apresentadas para isso: primeiro, Deus ainda não havia feito chover sobre a terra e, segundo, não existiam os seres humanos para cultivá-la. Só quando os seres humanos entram em cena e começam a trabalhar a obra da criação de Deus pode ser completada. Deus cria, Deus preserva, a bênção de Deus se realiza, Deus transforma o mundo antecipando o mundo futuro — e, em tudo isso, Deus faz de nós seus colaboradores.[16] Nós trabalhamos com Deus, e Deus trabalha por nosso intermédio. Tomamos decisões em salas de reunião da diretoria, viramos hambúrgueres no McDonald's, limpamos casas, dirigimos ônibus, publicamos livros e proferimos palestras — e, fazendo isso, trabalhamos com Deus e Deus trabalha por nosso intermédio. Não se poderia atribuir dignidade maior ao nosso trabalho.

Finalmente, Deus garante que nada do que é verdadeiro, bom e belo em nosso trabalho será perdido. Em Deus, tudo o que fizemos cooperando com ele será preservado. No mundo futuro, o nosso trabalho não desaparecerá. Nós mesmos seremos seguidos pelas nossas obras, como está escrito no livro de Apocalipse (14.13). Isso faz sentido se a nossa identidade residir em parte em nosso trabalho e suas realizações. Mesmo no mundo futuro, eu não poderia encontrar-me com Gutenberg e não pensar na prensa dele, ou encontrar-me com Einstein e não pensar na teoria da relatividade, ou encontrar-me com o apóstolo Paulo e não pensar na epístola aos Romanos. Os resultados dos nossos trabalhos — os resultados cumulativos de gerações de trabalhadores do mundo inteiro — também serão preservados no mundo futuro.[17] Eles podem ser preservados apenas na memória de Deus, ou preservados como blocos concretos da construção desse novo mundo.

O trabalho de cada um de nós é, portanto, uma pequena contribuição para a grande tapeçaria da vida, que Deus vem tecendo assim como Deus criou o mundo, está redimindo o mundo e consumará o mundo. Este é o significado supremo do nosso trabalho.

Conclusão: sobre fazer bem o nosso trabalho

Aqui, portanto, estão os contornos da fé que se recusa a ser ociosa: Deus nos abençoa, e nós obtemos êxito em nosso trabalho; Deus nos liberta de modo que não somos deprimidos pelos nossos fracassos, e podemos conseguir uma felicidade duradoura; Deus nos dirige, e assim podemos trabalhar de maneiras moralmente responsáveis e moralmente excelentes; Deus confere significado ao nosso trabalho no sentido de que Deus reúne todos os nossos esforços em nosso próprio benefício e em benefício de nossas comunidades e trabalha por intermédio deles para criar, redimir e consumar o mundo. Nossa fé fará diferença positiva quando Deus estiver atuando em nosso trabalho dessas quatro maneiras.

3
Coercitividade

No período subsequente aos atentados terroristas ao World Trade Center, era normal ouvir dizer que aquele ato terrorista "mudou tudo". "Tudo" é com certeza um exagero, mas o Onze de Setembro, como são às vezes chamados aqueles atentados, de fato mudou muitas coisas, incluindo a atitude de muitos ocidentais seculares para com a religião. Os atentados, que ceifaram mais de três mil vidas e desencadearam duas guerras importantes (no Afeganistão e no Iraque), foram em parte motivados pela religião. O que analistas cuidadosos e gente do mundo inteiro já sabiam havia algum tempo de repente se tornou claro para ocidentais seculares: a religião está muito viva hoje, e é uma força não apenas na vida privada mas também na vida pública de muitos no mundo inteiro. Já faz alguns anos que uma coleção de ensaios intitulada *Religion, the Missing Dimension of Statecraft* [Religião, a dimensão ausente na arte de governar] (que, quando foi originalmente publicada em 1994, era vista como um alargador das fronteiras de sua disciplina) tornou-se leitura obrigatória para diplomatas em muitos países, ocidentais ou não.[1]

Eliminar a religião?

Os sociólogos tradicionais do século 20, que seguiram as pegadas de Karl Marx, Max Weber e Émile Durkheim, haviam previsto que a religião lentamente desapareceria ou se alojaria silenciosamente na privacidade do coração dos crentes. Em vez disso, a religião emergiu como ator importante no cenário nacional e internacional. É cedo demais para dizer quanto tempo durará esse ressurgimento da religião. Os processos de secularização talvez continuem (como se constata na Europa continental), embora isso talvez não seja provável no sentido de um declínio geral da prática religiosa, mas sim no sentido da diminuição da influência da religião em sociedades contemporâneas. Se a secularização progredir, o problema da ociosidade da fé pode se mostrar mais significativo do que o problema da assertividade inadequada da fé. Contudo, a religião atualmente está bem viva no cenário público e continuará assim no futuro próximo.

Na mente de muitos, a reafirmação da religião como um fator político não aconteceu para o bem. Parece que os deuses têm em mente sobretudo o terror, como sugere o título do livro de Mark Jurgensmeyer sobre o aumento global da violência religiosa: *Terror in the Mind of God* [Terror na mente de Deus].[2] Na elite intelectual do Ocidente, a associação atual da religião com a violência alimenta-se principalmente das memórias submersas das guerras que assolaram a Europa dos anos 1560 a 1650, nas quais a religião, segundo se afirma, constituiu "a motivação candente, aquela que inspirou a devoção fanática e o ódio mais feroz".[3] Foram essas guerras que muito contribuíram para a emergência da modernidade secularizante.[4]

Como figuras-chave do Iluminismo, muitos contemporâneos veem a religião como um perverso mal social que exige tratamento agressivo em vez de considerá-la um remédio do qual se possa esperar alguma cura. Os autores dos atentados terroristas do Onze de Setembro não apelaram para a religião como motivação para sua violência? Na recente guerra dos Bálcãs, os sérvios não lutaram pelo território no qual se situavam os locais sagrados de sua religião? A diferença entre catolicismo e protestantismo não estava no centro da guerra civil da Irlanda do Norte? A religião não é um fator preponderante em conflitos na Índia? O ressurgimento contemporâneo da religião parece caminhar de mãos dadas com o ressurgimento da violência legitimada pela religião — pelo menos na percepção pública. Por isso, muitos argumentam que é necessário enfraquecer, neutralizar ou eliminar totalmente a religião como um fator da vida pública.

O impulso para neutralizar ou eliminar a religião do espaço público é, todavia, um equívoco. É um equívoco porque é praticamente impossível eliminar sem violência a religião — violência agora contra pessoas para as quais a religião define um estilo de vida, público e também privado. O impulso de eliminar a religião é um equívoco também porque as religiões podem desempenhar e muitas vezes desempenham um papel indispensável no fomento de relações sociais sadias e pacíficas. Essas são alegações arrojadas que não examinarei aqui. Neste capítulo, tentarei uma tarefa mais modesta: contestar a alegação de que a fé cristã fomenta predominantemente a violência. Essa alegação também pode parecer arrojada. Para não ser mal interpretado, peço permissão para esclarecê-la.

Fé superficial e fé profunda

Primeiro, não vou argumentar que a fé cristã nunca foi violenta ou que ela não continua sendo empregada para fomentar a violência. Obviamente, não se pode travar uma discussão desse gênero de modo plausível. Os cristãos não só cometeram atrocidades e se envolveram em formas menos egrégias de violência no decurso de sua longa história, como também recorreram a convicções religiosas para justificar tais atos.[5] Além disso, há na fé cristã elementos que, tomados isoladamente ou excessivamente enfatizados, podem ser usados para legitimar a violência. Segundo, não vou argumentar que o cristianismo foi historicamente menos associado com a violência do que outras religiões importantes. Não tenho certeza de que esse seja ou não seja o caso, e não tenho certeza sobre como proceder para dirimir a questão.

O que vou argumentar é que, pelo menos quando se trata de cristianismo, a cura contra a violência legitimada e induzida pela religião é quase exatamente o oposto daquilo que uma importante corrente intelectual do Ocidente vem sugerindo desde o Iluminismo. A cura contra a violência cristã não consiste em menos fé cristã, mas sim, num sentido cuidadosamente qualificado, em *mais* fé cristã. Não quero dizer, naturalmente, que a cura contra a violência está num aumento de zelo religioso; o zelo religioso cego é parte do problema. A cura, em vez disso, está num comprometimento mais forte e mais inteligente com a fé cristã enquanto fé.

Em termos de como a fé cristã é concebida e praticada, minha tese é esta: Quanto mais reduzirmos a fé a uma vaga religiosidade que serve principalmente para energizar, curar e ressignificar atividades da vida cujo curso é determinado por fatores que diferem da fé (tais como interesses nacionais e econômicos), pior será para nós. Pelo contrário, quanto mais a fé cristã importa para seus adeptos como fé que mapeia um estilo de vida, e quanto mais eles a praticam como uma tradição contínua fortemente vinculada às suas origens e história, e com um claro conteúdo moral e cognitivo, melhor será para nós. Uma prática "superficial" mas zelosa da fé cristã tende a fomentar a violência; uma prática "profunda" e comprometida ajudará a gerar e sustentar uma cultura de paz.[6] Essa tese afirma que a abordagem da questão da religião e da violência baseada na observação da *quantidade* de ligações religiosas — mais religião, mais violência; menos religião, menos violência — é equivocada e ingênua. O fator mais relevante é, mais propriamente, a *qualidade* dos compromissos religiosos.

Neste capítulo, responderei a alguns dos argumentos influentes acerca da natureza violenta do cristianismo a fim de sustentar a alegação de que a fé cristã mostra falhas graves quando legitima a violência. Isso é apenas a metade do que eu teria de fazer para tornar minha tese plausível, uma metade negativa. A outra metade, a positiva, seria mostrar que na base do cristianismo, e não apenas em suas margens, há recursos importantes para criar e sustentar uma cultura da paz.[7]

No passado, intelectuais argumentaram de diversas formas que a fé cristã fomenta a violência. De maneira representativa, examinarei quatro argumentos que, a meu ver, vão direto ao cerne da questão.[8]

Monoteísmo

Alguns estudiosos, como Regina Schwartz em seu livro *The Curse of Cain: The Violent Legacy of Monotheism* [A maldição de Caim: O violento legado do monoteísmo], argumentam pela cumplicidade da fé com a violência apontando para o fato de que, juntamente com o judaísmo e o islamismo, o cristianismo é uma religião monoteísta e, portanto, uma religião excludente e violenta. "Seja como singularidade (este Deus contra os outros), seja como totalidade (este é tudo o que existe em se tratando de Deus), o monoteísmo odeia, insulta, rejeita e descarta tudo o que ele define como situado fora de seus limites", argumenta Schwartz.[9] Concedendo-se que a crença num único Deus "forja identidades de modo antitético", o comprometimento religioso com um único Deus resulta numa noção equivocada de identidade ("nós somos 'nós' porque não somos 'eles'") e contribui para uma prática violenta ("nós só podemos continuar sendo 'nós' se eliminarmos a 'eles'").

Além disso, o monoteísmo introduz a categoria de "verdade" universal na esfera do religioso.[10] Ao lado de muitos outros, Željko Mardešić, um sociólogo croata da religião, notou que esse fato está no âmago da exclusividade do monoteísmo. Acreditar que só existe um único Deus significa acreditar no único Deus *verdadeiro*. Mais ainda, uma vez que uma reivindicação da verdade como essa sobre a natureza moral e metafísica do único Deus deve ser universal, ela é inevitavelmente pública. Reivindicações públicas universais causam disputa quando se defrontam com reivindicações opostas, do tipo particular ou universal. Também por essa razão, o monoteísmo está fadado a ter um legado de violência, diz o argumento.[11] "Nós", os fiéis, temos do nosso lado o único Deus verdadeiro em oposição a "eles", os infiéis e renegados.

Não está claro, porém, que uma afirmação da unicidade divina *como tal* leve à violência. Será que a unicidade de Deus não funciona também contra a tendência a dividir as pessoas em "nós" e "eles"? Se alguém aceita a crença num único Deus, num sentido especial todo mundo está "dentro", e todo mundo está "dentro" precisamente em condições iguais. Certo, "em condições iguais" pode soar como coerção se você não quer estar "dentro" ou quer estar "dentro" em condições diferentes. Mas tire-se o monoteísmo da discussão, e a divisão da violência entre "nós" e "eles" dificilmente desaparecerá, e se "nós" e "eles" formos religiosos, cada um dos dois lados apelará para o seu deus a fim de promover a guerra. Num contexto politeísta a violência pode reafirmar-se até com mais força, porque ela será necessariamente justificada por preferências arbitrárias localmente legitimadas, contra as quais, na ausência de uma divindade que envolva todas as partes, agora já não pode haver nenhum tribunal de apelo superior. Mesmo que o monoteísmo seja tomado de modo vago e abstrato como crença num único Deus sem maiores qualificações, não está clara a probabilidade de ele gerar mais violência do que o politeísmo ou o ateísmo.

Nenhuma das religiões monoteístas, todavia, adota um monoteísmo tão vago e abstrato. De modo específico, o monoteísmo cristão implica mais uma importante pressão contra a violência, especialmente a violência causada por identidades exclusivas e fechadas em si mesmas do tipo que Schwartz critica. Pois o monoteísmo cristão é de uma espécie trinitária.[12] Que diferença faz o trinitarianismo?[13] Com respeito às posições sociais, um dos mais importantes aspectos da doutrina da Trindade se refere a noções de identidade. Acreditar que o único Deus é o Pai, o Filho e o Espírito Santo é acreditar que a identidade do Pai, por exemplo, não pode ser entendida sem o Filho e o Espírito Santo. A identidade do Pai é definida desde o princípio pelo Filho e o Espírito Santo e, portanto, não é indiferenciada e fechada em si mesma. Não se pode dizer sem a devida qualificação que o Pai não é o Filho ou o Espírito Santo porque ser o Pai significa ter o Filho e o Espírito Santo presentes em si mesmo. O mesmo se aplica, naturalmente, ao Filho e ao Espírito Santo em relação ao Pai e entre si.

Além disso, a tradição cristã entende que as pessoas divinas como identidades não fechadas em si mesmas formam uma perfeita comunhão de amor. Elas se doam entre si e se recebem umas às outras com amor. Nenhuma delas precisa tirar à força coisa alguma das outras, e nenhuma precisa garantir-se contra as incursões das outras. Longe de ser uma vida de violência, a vida do Ser divino se caracteriza pela generosidade mutuamente espontânea e bem-vinda.

Seria difícil argumentar que esse monoteísmo fomenta a violência.[14] Em vez disso, ele fundamenta a paz aqui e agora no reino "transcendental", no amor e na tranquilidade do ser divino. O argumento pela violência inerente ao monoteísmo cristão só funciona caso se reduza ilegitimamente a "profunda" descrição religiosa de Deus a uma unicidade pura e simples e depois se postule que essa unicidade abstrata tem uma importância social decisiva. Não contesto que essa redução de fato acontece no seio da comunidade cristã — mas, quando ela acontece, a fé cristã dá mostras de falhas graves. Apenas afirmar a unicidade pura e simples de Deus é um sinal de que a fé cristã não foi levada suficientemente a sério, e não de que ela é inerentemente violenta.

Criação

Até aqui argumentei que a fé cristã pode gerar violência em sua forma "superficial", mas não em sua forma "profunda" —

quando uma caracterização "profunda" da identidade complexa e diferenciada do Ser divino (cuja natureza se define pelo amor, livremente dispensado e recebido) é reduzida a um "Ser Único" indiferenciado. Mas que dizer do argumento segundo o qual algumas convicções cristãs muito "profundas" e "concretas" fomentam a violência? Aqui são fundamentais as convicções sobre a criação e consumação final do mundo.

É uma alegação cristã básica que Deus criou o mundo. Em seu influente livro *Sexism and God-Talk* [Sexismo e linguagem divina], Rosemary Radford Ruether observa que nas Escrituras hebraicas o Criador é como um artesão trabalhando um material externo à sua própria natureza. Deus age assim, argumenta ela, mediante "uma combinação de poder seminal e cultural masculino (palavra-ato) que lhe dá forma a partir 'do alto'".[15] Num relato como esse, a criação é resultado de uma imposição de forma numa matéria informe exterior por meio de uma força alheia. Portanto, a criação é um ato de violência.

O que há de errado nesse relato da criação? Tudo — quase tudo. Vamos supor por um momento que temos de tomar Gênesis literalmente, que a melhor descrição da criação é formar um material preexistente (preferindo dizer assim a dizer que "formar" é uma imagem que aponta para uma atividade apenas análoga à formação comum). Ainda seria preciso argumentar que esse material é "algo", e que é uma espécie específica de algo, que merece respeito. Mas não está nada claro que o caos, ao qual segundo esse relato da criação Deus conferiu forma, é um "algo". E se o caos fosse um "algo", por que não seria algo análogo a uma pedra da qual um artesão pode talhar uma escultura? Apesar de todas as fagulhas saltando do seu cinzel, Michelangelo trabalhando no "Davi" dificilmente pode ser descrito como alguém cometendo um ato violento. Para que a atividade de "formar" possa cometer violência, a entidade que é formada deve possuir uma integridade própria que exige respeito. Ora, se alguém estilhaçasse o "Davi" de Michelangelo, isso seria um ato de violência. Mas esse "estilhaçamento" não tem semelhança alguma com a formação divina descrita em Gênesis.

Em geral, todavia, a tradição cristã não entendeu a criação como "formação". Em vez disso, ela insistiu que o Deus criador não é um demiurgo trabalhando com material preexistente; Deus criou *ex nihilo*, a partir do nada. As consequências desse entendimento da criação para seu suposto caráter violento são significativas. Como disse Rowan Williams em *On Christian Theology* [Da teologia cristã], quando dizemos que Deus cria não queremos dizer que Deus "impõe uma definição", mas que Deus "cria uma identidade". Ele prossegue: "Antes da palavra de Deus não existe nada passível de imposição".[16] Disso decorre que a criação não é o exercício de um poder externo, que ela não é de fato nenhum exercício de poder, entendido no sentido comum. Williams escreve:

> O poder é exercido por x sobre y; mas a criação não é poder, porque não é exercida sobre coisa alguma. Poderíamos, obviamente, querer dizer que a criação pressupõe uma potencialidade divina, ou uma desenvoltura, ou abundância de vida ativa; e "poder" pode às vezes ser usado nesses sentidos. Mas o que a criação não é, enfaticamente, é qualquer espécie de imposição ou manipulação: não é Deus impondo-nos papéis divinamente desejados em vez daqueles que nós "naturalmente" podemos ter, ou definindo-nos a partir de nosso próprio sistema para nos encaixar no sistema de Deus. [...] E isso implica que o mito de Prometeu de uma humanidade lutando contra Deus para seu próprio bem-estar e seus próprios interesses não faz sentido; ser criatura não pode significar ser vítima de uma força alheia.[17]

A criação, portanto, não é um ato coercitivo. De fato, pode-se até argumentar que sem um entendimento do mundo como criação de Deus os relacionamentos entre entidades deste mundo, especialmente entre os seres humanos, seriam necessariamente violentos.[18] Se as identidades não são criadas, então as fronteiras entre elas têm de surgir a partir de intercâmbios entre essas identidades. E esses intercâmbios em si devem ser descritos como violentos, uma vez que fronteiras, precisamente por serem sempre contestadas, são arbitrárias. Dada a escassez de recursos, as fronteiras sempre serão produtos de lutas pelo poder, mesmo quando essas lutas tomam a forma de negociações. Além disso, nenhum apelo para arbitramentos entre as partes contenciosas pode ser feito a algo que, em última análise, se situa fora da luta pelo poder.

Redenção

Que dizer, porém, da *nova criação*? Que dizer da ação de Deus para redimir a criação das consequências do pecado? Claramente, a nova criação não é *creatio ex nihilo* (criação a partir do nada), mas *creatio ex vetere* (criação a partir da criação velha). Essa criação "velha" e "pecaminosa" possui sua integridade própria (mesmo sendo, segundo a fé cristã, uma integridade em tensão com seu verdadeiro caráter), e pode afirmar e de fato afirma sua vontade opondo-se a Deus. Ao redimir o mundo, Deus intervém no existente mundo pecaminoso a fim de transformá-lo num mundo de perfeito amor. Será que essa intervenção não é violenta e, portanto, não gera violência entre os seres humanos?

A crítica mais radical do engajamento redentor divino como sendo violento e induzindo à violência vem dos pensadores pós-estruturalistas. Para eles, qualquer determinação do objetivo a atingir por meio da transformação divina deste mundo e qualquer especificação acerca do agente transformador já causa violência. Na explicação deles, para que aquilo que deve *acontecer*, em contraste com aquilo que é, não seja violento, ele deve sempre permanecer completamente outro e não pode ser expresso como um "projeto ou programa ontoteológico ou teleoescatológico".[19] Como John Caputo, falando na voz do seu professor, Jacques Derrida, afirma: "Se o Messias de fato algum dia aparecesse [...] isso estragaria tudo".[20] Todo e qualquer messias é problemático porque necessariamente ele e seu programa potencialmente excluiriam algo ou alguém. Por isso, o único objetivo que se pode aceitar de uma mudança desejável é a "hospitalidade absoluta", uma postura de receber o outro sem precondições de qualquer natureza, assim como a única ação aceitável para proporcionar essa hospitalidade é a "radical e interminável, infinita [...] crítica".[21]

A "hospitalidade absoluta" parece generosa e pacífica, até nos vir à mente que perpetradores não arrependidos e suas vítimas mal curadas teriam então de sentar-se ao redor da mesma mesa e compartilhar a mesma casa sem uma atenção adequada à violação que ocorreu. Num aspecto crucial, a ideia acaba e por isso é insuportável, aproximando-se demais da afirmação nietzschiana da vida, na qual um sagrado "sim" é dirigido a tudo o que existe e na qual um "mas assim eu o quis" é proferido em relação a tudo o que existiu, incluindo todos os pequenos e grandes horrores da história.[22] A hospitalidade absoluta de modo algum corresponderia à ausência da violência. Pelo contrário, ela entronizaria a violência precisamente sob a aparência de não violência porque deixaria os violadores inalterados sem que as consequências da violência fossem remediadas. A hospitalidade só pode ser absoluta depois que o mundo tiver sido transformado num mundo de amor no qual cada pessoa seria hospitaleira para com todos. Neste mundo de injustiça, decepção e violência, a hospitalidade pode ser apenas condicional — mesmo que o desejo de hospitalidade e a proposta de hospitalidade permaneçam incondicionais.[23]

Requer-se uma mudança radical, e não apenas um ato de indiscriminada aceitação, para que o mundo seja transformado num mundo de amor. A tradição cristã vinculou essa mudança à vinda do Messias, aquele que foi crucificado e ressuscitou, cujo reaparecimento glorioso ainda é aguardado. Será que essa intervenção messiânica é violenta? Ela sanciona a violência humana? A resposta é fácil quando se trata da primeira vinda do Messias. Jesus Cristo não veio ao mundo para conquistar os praticantes do mal por meio de um ato de violência, mas para morrer por eles num ato de amor altruísta e assim reconciliá-los com Deus. Os braços estendidos do corpo martirizado na cruz qualificam toda a missão de Cristo. Ele condenou o pecado da humanidade tomando-o sobre si mesmo; e, suportando-o, libertou a humanidade do poder dele e restaurou a comunhão dos seres humanos com Deus. Embora o sofrimento na cruz não seja tudo o que Cristo realizou, a cruz representa o critério decisivo do modo como toda a sua obra deve ser entendida.

A crença no Crucificado causa violência? Começando pelo menos desde a conversão do imperador Constantino, autodenominados seguidores de Cristo têm perpetrado cruéis atos de violência sob o signo da cruz. No decurso dos séculos, as épocas da Quaresma e da Semana Santa foram momentos de medo e agitação para os judeus; os cristãos perpetraram alguns dos piores massacres quando evocaram a crucificação de Cristo, pela qual culparam os judeus. Os muçulmanos também associam a cruz à violência; as atrocidades dos cruzados aconteceram sob seu signo.

Todavia, uma leitura sem preconceitos da história de Jesus Cristo não avaliza essa interpretação da violência. O relato da morte dele em 1Pedro resume bem o testemunho de todo o Novo Testamento:

> Para isso vocês foram chamados, pois também Cristo sofreu no lugar de vocês, deixando-lhes exemplo, para que sigam os seus passos. "Ele não cometeu pecado algum, e nenhum engano foi encontrado em sua boca." Quando insultado, não revidava; quando sofria, não fazia ameaças, mas entregava-se àquele que julga com justiça. Ele mesmo levou em seu corpo os nossos pecados sobre o madeiro, a fim de que morrêssemos para os pecados e vivêssemos para a justiça; por suas feridas vocês foram curados.
>
> 1Pedro 2.21-24

Se há um perigo na história da cruz em relação à violência, é que ela poderia ensinar uma mera aceitação dos maus-tratos dispensados por outros, não que ela poderia incitar alguém a cometer abusos. Sempre que a violência foi perpetrada em nome da cruz, a cruz foi esvaziada de seu significado "profundo" no âmbito da história mais ampla de Jesus Cristo e "superficializada" até tornar-se um símbolo de pertencimento religioso e poder — e o sangue daqueles que não pertenciam correu quando cristãos se transformaram de seguidores do Crucificado em imitadores daqueles que o crucificaram.

Nova criação

Finalmente, que dizer do Messias que ainda está por vir envolto em glória? Ele virá trazendo graça para os seus seguidores. Mas o livro de Apocalipse não o retrata como um Cavaleiro num cavalo branco cujos "olhos são como chamas de fogo", com um manto "tingido de sangue", de cuja "boca sai uma espada afiada, com a qual ferirá as nações", e que está vindo para pisar "o lagar do vinho do furor da ira do Deus todo-poderoso" (19.12-15)? Alguns estudiosos do Novo Testamento tentaram reinterpretar o Cavaleiro a fim de fazê-lo se encaixar na visão geralmente não violenta do Novo Testamento.[24] O que há de correto nessas tentativas é que no livro de Apocalipse os mártires são os *verdadeiros* vencedores, de modo que, paradoxalmente, a vitória da Besta sobre eles é a vitória deles sobre a Besta exploradora e violenta. Nisso eles espelham Jesus Cristo, o Cordeiro imolado que conquistou seus inimigos precisamente mediante sua morte sacrificial.[25]

Todavia, o Cavaleiro não é simplesmente o Cordeiro; ele é o Cordeiro atuando como *o juiz supremo*. Então, por que esse julgamento final é necessário? Sem ele, seríamos obrigados a pressupor que todos os seres humanos, por mais profundamente mergulhados no pecado que estejam, no fim irão ou sucumbir ao fascínio do amor de Deus ou, se isso não acontecer, abraçar livremente não apenas o mal que praticam mas também o impacto destrutivo do mal em sua própria vida. Essa crença não é muito mais que uma superstição moderna, nascida da nossa incapacidade de fitar sem medo o "coração das trevas". Primeiro, sem dúvida, o bem pode superar o mal e o supera. Mas o poder do mal se apoia em grande parte no fato de que quanto mais alguém pratica o mal, tanto mais resistente se torna o escudo que protege o autor do mal de ser vencido pela bondade. Segundo, o mal é contraditório e, se não for controlado, ele fatalmente destrói a si mesmo. Mas os praticantes do mal praticam-no de modo mais eficiente e são mais hábeis em sua prática a ponto de eles saberem como garantir sua prosperidade enquanto causam a destruição de outros. O livro de Apocalipse corretamente se recusa a supor que o mal será ou vencido pelo bem ou destruirá a si mesmo. Ele não pode, portanto, excluir a possibilidade da coerção divina contra os persistentes e não arrependidos praticantes do mal. Os que se recusam a ser redimidos da violência para o amor por meios amorosos serão excluídos do mundo do amor.

Como devemos entender essa possível coerção divina? No contexto de toda a fé cristã, a melhor descrição dessa coerção é um retrato simbólico da exclusão final de todo aquele que se recusa a ser redimido pelo sofrimento amoroso de Deus. Será que no fim Deus de fato excluirá alguns seres humanos? Não necessariamente. Eu qualifiquei a coerção divina como "possível", porque ela se baseia na recusa de um ser humano a se deixar transformar por Deus numa pessoa amorosa e, portanto, a ser admitido no mundo do amor. Será que algumas pessoas vão se recusar? Espero que não — e a Bíblia, juntamente com a melhor tradição cristã, nunca afirmou com certeza que alguns se recusarão e, portanto, serão excluídos.[26]

É possível (embora não necessário) que a vinda da nova criação possa exigir a exclusão divina daquilo que é contrário ao perfeito amor. Para nossos propósitos, a questão crucial é saber se essa possível coerção divina no fim da história autoriza a violência humana real no decurso da história. A resposta que ecoa em todo o Novo Testamento, mesmo no livro de Apocalipse, é um forte e persistente não! Ainda que a imitação a Deus seja o ponto mais alto da santidade humana, há coisas que só Deus pode fazer. Uma delas é fazer uso da violência.

Os cristãos evidentemente não devem se juntar sob a bandeira do Cavaleiro do cavalo branco, mas sim tomar, cada um, a sua cruz e seguir o Crucificado. Se eles fizessem outra coisa, mais uma vez estariam "superficializando" uma dimensão "profunda" da fé e fazendo uso dela de um modo perigosamente prejudicial. De que maneira? Primeiro, eles usurpariam o que está reservado para Deus. Segundo, eles deslocariam equivocadamente a violência do fim dos tempos para um tempo no qual Deus explicitamente evita o uso da violência para possibilitar o arrependimento. Finalmente, eles erroneamente transformariam uma futura possibilidade de violência numa realidade presente. Uma leitura "profunda" das convicções escatológicas cristãs não autoriza nenhuma violência humana no presente; pelo contrário, opõe resistência a ela.[27]

Em suma, peço permissão para insistir mais uma vez que meu ponto neste capítulo não é que a fé cristã não tenha sido usada para legitimar a violência, ou que não haja na fé cristã elementos em que tais usos se basearam. É antes afirmar que nem o caráter da fé cristã (como religião monoteísta) nem algumas de suas convicções mais fundamentais (como a de que Deus criou o mundo e está empenhado na redenção dele) são causadoras de violência. A fé cristã é *usada equivocadamente* quando empregada para referendar a violência.

Como acontece esse uso equivocado, e como devemos nos precaver contra ele? Se despojarmos as convicções cristãs de seu conteúdo moral e cognitivo original e histórico e reduzirmos a fé a um recurso cultural dotado com uma aura difusa do sagrado, em situações de conflito provavelmente teremos violência inspirada e legitimada pela religião. Se nutrirmos as pessoas com convicções cristãs enraizadas em seus textos sagrados, provavelmente conseguiremos militantes pela paz. Isso, na minha opinião, resulta não apenas de um cuidadoso exame da lógica interna de convicções cristãs; nasce também de uma cuidadosa observação da prática cristã concreta. Como argumentou R. Scott Appleby com base em estudos de caso em *The Ambivalence of the Sacred* [A ambivalência do sagrado], contrariando uma concepção errônea muito difundida, os seres humanos que são religiosos desempenham um papel positivo no mundo de conflitos humanos e contribuem para a paz não quando eles "moderam sua religião ou marginalizam suas crenças profundamente mantidas, vividamente simbolizadas e muitas vezes altamente particulares"; antes, "quando continuam sendo atores religiosos".[28]

À guisa de conclusão

Se a fé cristã não é inerentemente violenta, e se os cristãos que levam sua fé a sério não tendem a cometer violências, por que as concepções errôneas acerca do caráter violento da fé cristã são tão numerosas? Já dei em parte a resposta: Os cristãos usaram e continuam usando sua fé para legitimar a violência que eles consideram necessária, e isso em larga escala. As concepções errôneas da fé cristã espelham o amplamente difundido mau comportamento de cristãos, e o mau comportamento de cristãos está associado a interpretações equivocadas de sua própria fé com a "superficialização" de seus elementos originais e "profundos".[29] Mas há mais coisas envolvidas. Pois se pode facilmente mostrar que a maioria dos cristãos (e a maioria das pessoas religiosas em geral) é formada de cidadãos não violentos, amantes da paz, alguns até ativistas da paz — e são assim precisamente por motivos religiosos. Os promotores da violência que procuram uma legitimação religiosa são, estatisticamente, uma reduzida minoria entre os cristãos (e o mesmo acontece também com outras religiões).

Então, por que a opinião contrária é tão difundida? As razões são muitas. O que Avishai Margalit escreve sobre o pertencimento étnico se aplica igualmente à religião. "Basta uma barata encontrada no seu prato para transformar um jantar sob outros aspectos delicioso numa experiência desagradável [...]. Bastam trinta ou quarenta grupos étnicos combatendo-se entre si para que 1.500 ou mais grupos étnicos importantes espalhados pelo mundo e vivendo mais ou menos pacificamente sejam mal vistos."[30] Poderíamos descrever isso como a *inflação espontânea do negativo*, a tendência do mal de surgir e parecer maior do que o bem comparativamente mais comum.

Essa tendência geral é reforçada no mundo moderno no qual a circulação de informações é difusamente dominada pelos meios de comunicação de massa. Considere-se o seguinte contraste. Um paramilitar que estupra mulheres muçulmanas com uma cruz pendendo de seu pescoço ganhou as manchetes e foi imortalizado em livros sobre a violência religiosa. Katarina Kruhonja, uma médica de Osijek na Croácia, e ganhadora do Right Livelihood Award [Prêmio Meio de Vida Certo], equiparado ao Prêmio Nobel, continua relativamente desconhecida — sem falar na motivação do seu trabalho, que é totalmente religiosa. Ela declara que se tornou uma ativista pela paz quando, durante o bombardeio de Osijek pelos sérvios, a recuperação do centro de sua identidade no Cristo crucificado "libertou [sua] mente" e "ela conseguiu resistir ao poder da exclusão e da lógica da guerra".[31] Pouco sabemos a respeito de pessoas como a srta. Kruhonja em parte porque o sucesso do trabalho delas exige pouca visibilidade. Mas o nosso desconhecimento delas também brota da natureza dos meios de comunicação de massa num mundo impulsionado pelo mercado. A violência vende, e assim os telespectadores passam a ver violência, sem que os distribuidores da mídia se preocupem muito com a desproporção entre a violência real e a violência representada.

A mídia cria a realidade, mas eles fazem isso explorando a propensão dos seus telespectadores. Por que o estuprador sérvio parece mais "interessante" do que a srta. Kruhonja?

E por que tendemos a concluir com base na cruz que ele traz presa ao pescoço que sua fé religiosa tem a ver com o ato, ao passo que nunca nos ocorreria concluir com base no anel em seu dedo que a instituição do casamento é que é a culpada? A religião está mais associada à violência do que com a paz na imaginação popular em parte porque a violência fascina o público. Nós, os cidadãos de nações que amam a paz, cuja tranquilidade é garantida por um policiamento eficiente, somos insaciáveis observadores da violência. E, na condição de *voyeurs*, nos revelamos como vicários participantes na própria violência que aparentemente abominamos.[32] Somos particularmente atraídos pela violência religiosa porque temos, compreensivelmente, um forte interesse em expor a hipocrisia, especialmente a do tipo religioso. Somem-se os dois fatores — o uso interior da violência e o prazer na exposição dela — e fica a impressão de que queremos ouvir falar do envolvimento de pessoas religiosas com a violência em parte porque nós mesmos somos violentos, mas esperamos que eles ajam de maneira diferente.

Se fôssemos mais críticos acerca de nossas inclinações violentas ocultas e mais desconfiados da apresentação da violência na mídia, observaríamos no cenário religioso não apenas surtos de violência, mas um vasto e contínuo fluxo de obras de pessoas religiosas que visam transformar nosso mundo num lugar mais pacífico. Nossa imaginação não seria então presa, por exemplo, pela ideia de religião como sendo a força motivadora dos não particularmente religiosos e zelosos terroristas que implodiram as Torres Gêmeas. Em vez disso, ficaríamos impressionados com a intensidade com que a religião serviu como fonte de consolo e orientação para a maioria dos americanos numa fase de crise, com a motivação que ela proporcionou a muitos deles para ajudar as vítimas, para proteger muçulmanos evitando que fossem estereotipados e para construir pontes entre culturas religiosas distanciadas por causa da violência que foi desencadeada em grande parte por motivos não religiosos. E essas pessoas anônimas foram as que puseram em prática o verdadeiro espírito da fé cristã.

Entendida de modo adequado, a fé cristã não é nem coercitiva nem ociosa. Como uma religião profética, a fé cristã será uma fé ativa, engajada com o mundo de maneira não coercitiva — oferecendo bênção a nossos empreendimentos, conforto efetivo em nossos fracassos, orientação moral num mundo complexo e um contexto de significado para nossa vida e nossas atividades. Para comprometer-se com o mundo de um modo positivo, os cristãos precisam manter a atenção focada numa única coisa: a relação entre Deus e uma visão da prosperidade humana.

4
Prosperidade humana

Esperança, num sentido cristão, é amor projetando-se no futuro. Quando espero, fico na expectativa de alguma coisa do futuro. Mas não alimento a esperança em relação a tudo o que me deixa na expectativa. Alguns eventos antecipados — como uma visita ao dentista — eu os enfrento com pavor em vez de dispensar a eles esperançosas boas-vindas. "Falo de esperança", escreveu Josef Pieper em seu livro *Hope and History* [Esperança e história], "somente quando aquilo que me deixa na expectativa é, a meu ver, bom."[1] No entanto, nem todas as coisas que surgem no meu caminho são causas de esperança. Não espero que um novo dia amanheça depois de uma noite escura e sossegada; eu *sei*, mais ou menos, que o sol vai surgir. Mas posso esperar que uma brisa agradável refresque um causticante dia de verão. Em nosso uso diário, a "esperança" é, de modo geral, *a expectativa de coisas boas que não nos sobrevêm rotineiramente*.

A fé cristã acrescenta outro aspecto a esse uso diário do termo "esperança". Em *Theology of Hope* [Teologia da esperança], Jürgen Moltmann estabelece a famosa distinção entre esperança e otimismo. Ambos são sentimentos que têm a ver com uma expectativa positiva e, no entanto, são muito diferentes um do outro. O otimismo tem a ver com coisas boas do futuro que estão latentes no passado e no presente; o futuro está associado ao otimismo — Moltmann chama isso de *futurum* —, um desdobramento do que já está lá. Supervisionamos o passado e o presente, exploramos o que pode acontecer no futuro e, se as perspectivas forem boas, nos sentimos otimistas. A esperança, em contrapartida, tem a ver com coisas do futuro que nos sobrevêm de "fora", de Deus; o futuro associado à esperança — Moltmann chama isso de *adventus* — é um prêmio de algo novo.[2] Ouvimos falar de promessa divina, e por Deus ser amor nós confiamos na fidelidade dele. Deus então causa "uma coisa nova": a idosa Sara, com seu útero seco, dá à luz um filho (Gn 21.1-2; Rm 4.18-21); o Jesus crucificado ressuscita dentre os mortos (At 2.22-36); uma poderosa Babilônia cai e uma nova Jerusalém desce do céu (Ap 18.1-24; 21.1-5); de modo mais geral, o bem que parece impossível não apenas se torna possível, mas real.

A expectativa de coisas boas que acontecem como um presente de Deus: isso é esperança. E isso é também amor, projetando-se no nosso futuro e no futuro do mundo. Pois o amor sempre traz dádivas, e ele mesmo é uma dádiva; invertendo a ordem dos fatores, todas as dádivas genuínas são uma expressão de amor. No âmago do futuro esperado, que provém do Deus de amor, está a prosperidade de indivíduos, comunidades e do mundo inteiro. Mas como é que esse Deus de amor, "que dá vida aos mortos e chama à existência coisas que não existem" (Rm 4.17), se relaciona com a prosperidade humana? E como devemos entender a prosperidade humana se ela é uma dádiva do Deus de amor?

Prosperidade humana

Vamos considerar juntos como um entendimento ocidental corrente da prosperidade humana difere de alguns entendimentos anteriores, e verificar quais são as consequências disso.

Satisfação

Atualmente, muitos ocidentais passaram a acreditar — "sentir na própria carne" talvez fosse uma maneira mais coloquial, porém mais precisa de dizer isso — que uma vida humana próspera é uma vida humana experiencialmente satisfatória. E não querem dizer simplesmente que a experiência da satisfação é um aspecto desejável da prosperidade humana, de modo que, mantendo-se inalterados todos outros fatores, as pessoas que experimentam a satisfação prosperam de uma forma mais completa que as que não a experimentam. Nós prosperamos mais, por exemplo, quando nos sentimos cheios de energia e saúde do que quando estamos envoltos em tristeza e dilacerados pela dor (mesmo considerando a possível verdade de que a dor pode estar a serviço do bem e que uma grande alegria pode ser enganadora). Embora alguns estoicos antigos acreditem que se pode prosperar igualmente bem na roda da tortura como no conforto da própria casa, a maioria das pessoas de todos os períodos da história humana pensou que a experiência da satisfação aumenta a prosperidade.

Contrastando com isso, para muitos ocidentais a satisfação experiencial é a única razão da vida deles. Ela não apenas aumenta a prosperidade; ela a define. Essas pessoas não conseguem se imaginar prosperando sem a experiência da satisfação, sem *se sentirem felizes*, como diz a expressão preferida. Para elas, a prosperidade *consiste* em levar uma vida experiencialmente satisfatória. Sem satisfação, sem prosperidade. As fontes de satisfação podem variar, abrangendo desde a apreciação de música clássica até o uso de drogas, desde os prazeres da *haute cuisine* até o sexo sadomasoquista, desde os esportes até a religião. O que importa não é a fonte da satisfação, mas a realidade dela. O que justifica determinado estilo de vida ou atividade de vida é a satisfação oferecida: o prazer. E quando elas experienciam a satisfação, essas pessoas sentem que estão prosperando.

Como observou Philip Rieff em *The Triumph of the Therapeutic* [O triunfo da terapia] algumas décadas atrás (1966), a nossa é uma cultura que administra a busca do prazer, e não uma cultura de um esforço sustentado para viver uma vida boa como a que é definida por símbolos e convicções fundamentais.[3] Essa é uma ampla generalização que tem muitas exceções importantes. Todavia, ela descreve bem uma tendência importante e crescente.

Amor a Deus e solidariedade universal

Podemos contrastar a cultura ocidental contemporânea e sua automática explicação da prosperidade humana com os dois modelos dominantes na história da tradição ocidental. Agostinho, o pai da igreja do século quinto, representa bem a primeira dessas duas explicações. Em suas reflexões acerca da vida feliz em sua importante obra *Sobre a Trindade*, ele escreve: "Deus é a única fonte que se pode encontrar de qualquer coisa boa, mas especialmente daquilo que torna o homem bom e daquilo que o torna feliz; somente dele essas coisas sobrevêm a um ser humano e nele se incorporam".[4] Consequentemente, os seres humanos prosperam e são realmente felizes quando concentram sua vida em Deus, fonte de tudo o que é verdadeiro, bom e belo. Quanto a todas as coisas criadas, elas também devem receber amor. Mas a única maneira de amá-las de modo apropriado e desfrutá-las de modo pleno e verdadeiro é amá-las e desfrutá-las "em Deus".

Ora, Agostinho prontamente concorda com o que pensa a maioria das pessoas, a saber, que são felizes os que têm tudo o que querem. Mas ele imediatamente acrescenta que isso só é verdadeiro se eles não quiserem "nada equivocadamente",[5] isto é, se quiserem tudo de acordo com o caráter e a vontade de seu Criador, cujo próprio ser é amor. O bem supremo que torna os seres humanos realmente felizes — em minha terminologia, o conteúdo apropriado de uma vida próspera

— consiste no amor de Deus e do próximo e no desfrute de ambos. Em sua *Cidade de Deus*, Agostinho define isso como uma "comunhão completamente harmoniosa no desfrute de Deus, e de um ao outro em Deus".[6]

Por volta do século 18, uma explicação diferente da prosperidade humana emergiu no Ocidente. Estava relacionada com o que os estudiosos às vezes descrevem como uma "guinada antropocêntrica", isto é, o redirecionamento gradual do interesse pelo Deus transcendente para os seres humanos e suas atividades mundanas. O novo humanismo que surgiu diferia "da maioria das éticas da natureza humana", escreve Charles Taylor em *A Secular Age* [Uma era secular], no sentido de que a prosperidade humana "não faz nenhuma referência a algo superior que os seres humanos devem reverenciar ou amar ou reconhecer".[7] Para Agostinho e a tradição depois dele, esse "algo superior" era Deus. O humanismo moderno tornou-se excludente mediante o descarte da ideia de vidas humanas centradas em Deus.

E, no entanto, ao mesmo tempo que o novo humanismo rejeitava Deus e o mandamento do amor a Deus, ele mantinha a obrigação moral de amar o próximo. A coluna central de sua visão da vida boa era uma beneficência universal transcendendo todas as fronteiras de tribo ou nação e estendendo-se a todos os seres humanos. É verdade que esse era um ideal que não podia ser concretizado imediatamente (e do qual alguns grupos, considerados inferiores, eram *de facto* excluídos). Mas o objetivo rumo ao qual a humanidade se movia a passos firmes era um estado de relações humanas no qual a prosperidade de cada um estava vinculada à prosperidade de todos e a prosperidade de todos estava vinculada à prosperidade de cada um. A visão de Marx de uma sociedade comunista, resumida na frase "de cada um segundo suas habilidades, para cada um segundo suas necessidades",[8] foi historicamente a versão mais influente (e mais problemática) dessa ideia da prosperidade humana.

No final do século 20, outra virada aconteceu. A prosperidade humana passou cada vez mais a ser definida como satisfação experiencial (embora, obviamente, outras explicações da prosperidade humana também continuem robustas, independentemente de derivarem de interpretações religiosas ou seculares do mundo). Tendo perdido referências anteriores a "algo superior que os seres humanos devem reverenciar ou amar", a prosperidade humana também perdeu agora referências a uma solidariedade universal. O que sobrou foi uma preocupação com o eu e o desejo da experiência da satisfação. Claro, não é que os indivíduos hoje simplesmente busquem seu próprio prazer, isolados da sociedade. Também não significa que eles não se preocupem com os outros. Os outros estão muito envolvidos. Mas eles são importantes principalmente no sentido de que proporcionam uma experiência individual de satisfação. Para pessoas religiosas nessa categoria, isso se aplica a Deus não menos do que se aplica aos seres humanos. O desejo — a casca externa do amor — permanece, mas o amor em si, por ser direcionado exclusivamente para o eu, foi perdido.

Esperança

Uma das maneiras de ver as três fases da concepção da prosperidade humana — amor a Deus e ao próximo, beneficência universal, satisfação experiencial — é vê-las como uma história da diminuição do objeto do amor: a partir da vasta expansão do Deus infinito, o amor primeiro diminuiu restringindo-se às fronteiras da comunidade universal humana, e depois se contraiu para a estreiteza de um único eu, isto é, o próprio eu individual. Uma contração paralela também ocorreu com o âmbito da esperança humana.

No livro *The Real American Dream* [O verdadeiro sonho americano], escrito na virada do milênio, Andrew Delbanco faz um esboço da diminuição da esperança americana. Isso me interessa aqui porque os Estados Unidos podem ser sintomáticos nesse respeito: seria possível esboçar uma análoga diminuição da esperança na maioria das sociedades que estão altamente integradas em processos de globalização. Um rápido exame do sumário do livro revela o ponto principal de sua análise. Os títulos dos capítulos são "Deus", "Nação" e "Eu". O Deus infinito e a vida eterna de deleite com Deus e o próximo (pelo menos alguns deles!) eram a esperança dos puritanos que fundaram os Estados Unidos. Nacionalistas norte-americanos do século 19, sobretudo Abraham Lincoln, transformaram essa imagem cristã, na qual Deus ocupava o centro, no "símbolo de uma nação redentora". Nesse processo, eles criaram um "novo símbolo de esperança".[9] O âmbito da esperança reduziu-se significativamente,[10] e no entanto ainda restava a esperança em algo imensamente importante: a prosperidade da nação que era, em si mesma, um "povo escolhido", chamado a "conduzir a arca das Liberdades do mundo", como se expressou Melville.[11] Mas depois, na esteira dos anos 1960 e 1980, em consequência das duas revoluções *hippie* e *yuppie*, a "gratificação instantânea" se tornou "a marca registrada da vida boa". É apenas um pequeno exagero dizer que a esperança foi reduzida "à escala do gratificar-se a si mesmo".[12] Deslocando-se da vastidão divina e descendo até o ideal de uma nação redentora, a esperança encolheu, argumenta Delbanco, "até o ponto do eu sozinho".[13]

Anteriormente observei que, quando o âmbito do amor diminui, o próprio amor desaparece; a benevolência e a beneficência transformam-se na busca do egoísmo. Algo semelhante acontece com a esperança, o que é compreensível se a esperança for amor projetando-se no futuro do objeto amado, como sugeri no início deste capítulo. Assim, quando o amor se contrai e se transforma em egoísmo, e o egoísmo se deteriora na experiência da satisfação, a esperança também desaparece. Como insiste com razão Michael Oakeshott, a esperança depende de encontrar algum "fim a ser alcançado que é maior do que um desejo meramente instantâneo".[14]

Satisfação insatisfatória

O amor e a esperança não são as únicas vítimas quando a experiência da satisfação se torna o centro da ambição humana. Como muitos já enfatizaram, a satisfação em si é ameaçada pela busca do prazer. Não quero simplesmente dizer que passamos boa parte da vida insatisfeitos. É óbvio que nos sentimos insatisfeitos até provarmos a satisfação. O desejo é estimulado, e a luta começa, instigada por uma sensação de descontentamento e impulsionada pela expectativa de realização até que a satisfação seja alcançada. A luta insatisfeita e expectante é o estado geral, e a realização marca uma interrupção dele; o desejo é eterno, e a satisfação é fugaz e periódica.[15]

Mais importante, quase paradoxalmente, continuamos insatisfeitos no meio da experiência da satisfação. Comparamos os nossos "prazeres" com os de outras pessoas e começamos a invejá-las. O lindo Honda de nossos modestos sonhos torna-se fonte de *insatisfação* quando vemos o novo Mercedes do vizinho. Mas até mesmo quando saímos vencedores no jogo das comparações — quando estacionamos na frente de nossa garagem o melhor modelo do automóvel mais caro — nossa vitória é vazia, melancólica. Como diz Graciano em *O mercador de Veneza*, de Shakespeare: "Em relação a tudo o que existe, maior é a intensidade da busca do que a do desfrute".[16] Primeiro, marcados como somos por aquilo que os filósofos chamam de autotranscendência, em nossa imaginação sempre estamos além de qualquer estado já atingido. Não importa o que temos, queremos mais coisas e coisas diferentes, e quando já chegamos ao topo, uma sensação de desapontamento obscurece o triunfo. Nossa luta pode, portanto, alcançar descanso adequado apenas quando encontramos prazer em algo infinito. Para os cristãos, esse algo é Deus.

Segundo, sentimo-nos melancólicos porque o nosso prazer é realmente humano e, portanto, realmente aprazível somente se tiver um significado além de si mesmo. Isso acontece com o sexo, por exemplo. Por mais atraente e emocionante que seja, ele deixa um resto de sabor de insatisfação — talvez seja culpa, mas com certeza é vazio — se de algum modo não atingir um alvo além de si mesmo, se não for um sacramento de amor entre seres humanos. É semelhante a muitos outros prazeres.[17]

Quando colocamos o prazer no centro da vida boa, quando o dissociamos do amor a Deus, a fonte suprema de significado, e quando o separamos do amor ao próximo e da esperança de um futuro comum, não nos sobra, nas palavras de Andrew Delbanco, "nenhuma forma de organizar o desejo numa estrutura de significado".[18] E, para nós, seres humanos, animais que incansavelmente buscam um sentido para tudo, esse desejo de satisfazer prazeres fechados em si mesmos sempre permanecerá profundamente insatisfatório.

Visões da realidade, concepções da prosperidade

Em nome da realização de indivíduos, do florescimento de comunidades e do nosso futuro global, precisamos de uma visão da prosperidade humana que seja melhor do que a satisfação experiencial. As visões alternativas mais robustas da prosperidade humana estão contidas nas grandes tradições de fé. É nelas — e nos debates entre elas sobre o que realmente constitui a prosperidade humana — que devemos buscar recursos para uma nova reflexão sobre a prosperidade humana. No que segue, vou sugerir contornos de uma visão da prosperidade humana tal qual ela se encontra na fé cristã (ou melhor, numa vertente dessa fé). Uma visão da prosperidade humana — e dos recursos para conquistá-la — é a contribuição mais importante da fé cristã para o bem comum.

A centralidade da prosperidade humana

A preocupação com a prosperidade humana está no âmago das grandes fés, incluindo o cristianismo. É verdade, não se pode sempre dizer isso com base no modo como as fés são praticadas. Analisando a história, às vezes tem-se a impressão de que os objetivos delas eram simplesmente despachar gente deste mundo para o outro — do vale de lágrimas para a felicidade celestial (cristianismo), ou do mundo dos desejos para o nirvana (budismo), para dar apenas dois exemplos. E, no entanto, para os grandes mestres religiosos, e até para os representantes de altamente ascéticas e aparentemente místicas formas de fé, a prosperidade humana sempre foi central.

Tome-se Abu Hamid Muhammad al-Ghazali, um dos maiores pensadores islâmicos, como exemplo: "Saiba, caríssimo, que o homem não foi criado de brincadeira ou por acaso, mas feito de modo maravilhoso e para algum grande fim", diz ele na abertura de um de seus livros. Qual é esse grande fim para um ser cujo espírito é "elevado e divino", mesmo sendo seu corpo "mesquinho e terreno"? Aqui segue o modo como al-Ghazali o descreve:

> Quando no crisol da abstinência ele [o homem] é purificado de paixões carnais, atinge o ponto mais alto e, em vez de ser escravo da luxúria e da ira, é dotado de qualidades angelicais. Atingindo esse estado, ele encontra o seu céu na contemplação da Beleza Eterna, e não mais nos deleites da carne.[19]

Essas linhas provêm da introdução do livro de al-Ghazali, que trata "do abandono do mundo em busca de Deus". Isso pode levar a pensar que o livro não trata de nada sobre a prosperidade humana. E, no entanto, seu título é *The Alchemy of Happiness* [A alquimia da felicidade]. Precisamente por falar sobre abandonar o mundo em busca de Deus e sobre purificar-se das paixões da carne, o livro *trata* da prosperidade, neste mundo e no futuro.

Ou tome-se um dos maiores pensadores judeus, Moisés Maimônides. Na abertura de *The Guide of the Perplexed* [O guia dos perplexos], ele escreve que a imagem de Deus nos seres humanos — aquilo que os distingue dos animais — é "o intelecto que Deus infundiu no homem".[20] Para enfatizar esse ponto, Maimônides termina sua obra afirmando que o intelecto é "a ligação entre nós e Ele".[21] A verdadeira perfeição humana consiste

> na aquisição das virtudes racionais — refiro-me à concepção de inteligíveis, que ensinam opiniões verdadeiras a respeito de coisas divinas. Esse é, na verdadeira realidade, o fim supremo; é o que confere ao indivíduo perfeição verdadeira, uma perfeição que pertence somente a ele; e lhe confere constante permanência; por meio dela o homem é homem.[22]

A natureza da realidade suprema, o caráter dos seres humanos, o significado da vida deles e seus feitos mais nobres — todas essas coisas são convergentes. Todo o sistema religioso está ligado à prosperidade humana.

Colegas contemporâneos muçulmanos e judeus talvez questionem as visões de al-Ghazili e Maimônides sobre a prosperidade humana, muito provavelmente considerando-as demasiado ascéticas ou intelectuais. De fato, muitos debates internos no âmbito da tradição religiosa dizem simplesmente respeito à questão do que é que constitui a prosperidade humana entendida de modo apropriado. Os cristãos poderiam fazer a mesma coisa (embora muitos sábios e santos cristãos tenham entendido a prosperidade de maneiras surpreendentemente semelhantes).[23] Os cristãos também poderiam discordar acerca dos melhores meios de conseguir essa prosperidade (observando especialmente a ausência de Jesus Cristo nessas explicações). Meu objetivo na invocação de al-Ghazali e Maimônides não é apresentar uma avaliação cristã do pensamento deles, ainda que uma respeitosa conversa crítica entre grandes fés sobre a prosperidade humana seja importante. É antes esclarecer que a preocupação com a prosperidade humana é central para as grandes tradições religiosas, uma de suas características definidoras.

Não muito tempo atrás, a prosperidade humana era também central para as instituições ocidentais de ensino superior. Elas tratavam da análise do que significa viver bem, levar uma vida significativa. Elas tratavam menos dos modos de conseguir o sucesso nesta ou naquela atividade ou vocação e mais dos modos de conseguir o sucesso *como ser humano*. Nos meus termos, elas tratavam da prosperidade humana. Já não é mais isso o que acontece. Em *Education's End* [O fim da educação] Anthony Kronman nos conta uma história convincente de como o ideal de uma "universidade de pesquisa" e um fascínio com o "pós-modernismo" na cultura e na teoria conspiraram para levar faculdades e universidades a abandonar a análise do significado da vida. Hoje, escreve ele, "se alguém quer assistência institucional na busca de respostas para a pergunta acerca do significado da vida, que não seja simplesmente o amor da família e dos amigos, é para as igrejas que essa pessoa deve se voltar".[24]

Secularista confesso, Kronman critica o modo como as tradições religiosas procuram achar uma resposta para o significado da vida. Ele acredita — equivocadamente, a meu ver — que as fés são inerentemente contra um pluralismo responsável e sempre exigem um sacrifício do intelecto. Como pessoa de fé, penso que uma busca secular do significado da vida tem grande probabilidade de fracassar, e que os candidatos viáveis para analisar esse significado se baseiam todos na religião. Mas, seja qual for a posição que se adote no debate entre o humanismo secular e as tradições religiosas, ambas compartilham uma preocupação com a prosperidade humana e se posicionam contra uma difusa preocupação cultural com a satisfação experiencial em amplas faixas de sociedades de hoje, no Ocidente e em outras partes.

Correspondência

As obras *The Alchemy of Happiness* de al-Ghazili e *The Guide of the Perplexed* de Maimônides não apenas ilustram a centralidade da prosperidade humana para as tradições religiosas; elas também destacam uma forma significativa que diferencia as visões religiosas da prosperidade humana da propensão contemporânea de vê-la como satisfação experiencial. A diferença diz respeito a uma correspondência entre o modo como o mundo, incluindo os seres humanos, é constituído e o que significa para os seres humanos prosperar. Os capítulos centrais do livro de al-Ghazili, por exemplo, tratam do conhecimento do eu, de Deus, deste mundo e do mundo futuro.[25] Para saber o que significa alcançar a felicidade, você precisa saber quem você é e qual é o seu lugar no âmbito maior da realidade — criada e não criada.

Nessa matéria, al-Ghazali não é incomum. Como foi mostrado por Maimônides, a maioria das religiões e a maioria das filosofias mais significativas operam com a ideia de que há uma correspondência — talvez uma correspondência frouxa, mas, apesar disso, uma correspondência — entre uma explicação abrangente da realidade e uma concepção apropriada da prosperidade humana. E a maioria das pessoas ao longo da história humana concordou que deve existir essa correspondência. Fizeram isso principalmente porque a vida delas era guiada por tradições religiosas. Peço permissão para elaborar essa noção de correspondência afastando-me por um momento de figuras religiosas e observando brevemente dois filósofos, um antigo e um moderno: Sêneca e Nietzsche.

Sêneca e os antigos estoicos (que nos últimos anos se beneficiaram com uma espécie de ressurgimento)[26] coordenaram suas convicções acerca do mundo, dos seres humanos, do que significa viver bem e da natureza da felicidade.[27] Eles acreditavam que deus é a Razão Cósmica, disseminada na criação e dirigindo completamente seu desenvolvimento. Os seres humanos são principalmente criaturas racionais; eles vivem bem quando se sintonizam com a Razão Cósmica. São felizes quando, em sintonia com a Razão Cósmica, alcançam uma autossuficiência tranquila e não estão sujeitos a emoções tais como o medo, a inveja ou a raiva, sejam quais forem as circunstâncias externas. Assim, as explicações estoicas do mundo e da prosperidade humana são coerentes.

Meu segundo exemplo, Friedrich Nietzsche, foi um pensador moderno radicalmente contrário não apenas ao cristianismo mas também aos antigos estoicos.[28] Nem mesmo ele, um pensador antirrealista que desconfiava de todos os sistemas, parece ter sido capaz de desvencilhar-se da ideia de uma equivalência entre um intelectualmente responsável entendimento do mundo e o que significa para os seres humanos prosperar nesse mundo. Toda a tradição moral ocidental deve ser rejeitada, acreditava ele, não apenas porque ela é culpada de o "homem, como espécie, nunca atingir seu supremo potencial de poder e esplendor".[29] A tradição moral ocidental é inapropriada principalmente porque não corresponde ao que os seres humanos de fato são. Ao contrário das suposições das tradições morais ocidentais, os seres humanos são (1) não livres em suas ações, mas governados pela necessidade; (2) não transparentes para si mesmos e para os outros em suas motivações, mas opacos; (3) não semelhantes uns aos outros e, portanto, não sujeitos ao mesmo código moral, sendo cada um diferente. Em contrapartida, a própria defesa que Nietzsche faz da "vontade de potência" dos "seres humanos superiores" corresponde perfeitamente a essas características dos seres humanos e possibilita a maximização da excelência dos "seres humanos superiores".[30] Sua "vontade de potência" é apenas a tendência de todos os seres, incluindo os humanos, a não simplesmente sobreviver, mas a ampliar e expandir — a prosperar, por assim dizer, mesmo às custas de outros. De uma forma completamente diversa daquela dos estoicos, a visão de Nietzsche da prosperidade humana também corresponde à sua visão da realidade como um todo.

Ausência de correspondência
Em contraste com isso, aqueles dentre os nossos contemporâneos que pensam que a prosperidade consiste na satisfação

experiencial tendem a não dar importância ao modo como essa noção de prosperidade corresponde ao caráter do mundo e dos seres humanos. A razão disso não é simplesmente que, na grande maioria, eles são pessoas comuns em vez de filósofos (como Sêneca e Nietzsche) ou grandes pensadores religiosos (como Agostinho, al-Ghazili ou Maimônides). Afinal, no decurso dos séculos e até o presente, muitas pessoas comuns se preocuparam em sintonizar sua vida com o caráter do mundo e da realidade suprema. Não, as razões básicas têm a ver com a natureza da visão contemporânea da prosperidade e do meio cultural que prevalece no mundo ocidental de hoje.

Primeiro, como já observei, a satisfação é central no modo de pensar de muitos contemporâneos em relação à prosperidade humana. A satisfação é uma forma de experiência, e experiências são geralmente consideradas questões de preferência individual. Cada qual é o melhor juiz de sua própria experiência da satisfação. Examinar se uma experiência particular se encaixa na explicação mais ampla do universo já é correr o risco de relativizar o valor dela como experiência.

Como ilustração, considere-se uma versão religiosa da visão da prosperidade humana como satisfação experiencial. Em casos assim, a fé irradiará sua força para orientar as pessoas e será reduzida à condição de serva da satisfação experiencial — o que significa, como observei acima, uma falha grave da fé. Em vez de ser reverenciado como o "Criador e Senhor do Universo", que exatamente por essa sua identidade define quem são e como devem viver os seres humanos, Deus é transformado em algo semelhante a uma combinação de "Mordomo Divino" e "Terapeuta Cósmico".[31] Em vez de a fé estruturar e definir a experiência da satisfação, a experiência da satisfação define a fé.

Esse tipo de transformação da fé está de acordo com a tendência antimetafísica cada vez mais difusa da cultura ocidental contemporânea. "No espírito pós-nietzschiano", escreve Terry Eagleton, "o Ocidente parece estar ocupado em minar seus antigos fundamentos metafísicos por meio de uma profana mistura de materialismo prático, pragmatismo político, relativismo moral e cultural e ceticismo filosófico."[32] Em seu livro *The Meaning of Life* [O significado da vida], ele observa que muitos intelectuais contemporâneos, sem causar nenhuma surpresa, tendem a descartar uma reflexão séria sobre "a vida humana em sua totalidade como uma infame teoria 'humanista' — ou de fato como uma espécie de teoria 'totalizante' que levou direto para os campos de extermínio do estado totalitário". Na visão deles, não existe "isso que chamamos de humanidade ou vida humana a ser contemplada";[33] existem apenas diversos projetos condicionados pela cultura e moldados pela mutante vida individual. Se cada pessoa é um artista de sua própria vida, à procura de satisfação experiencial sem as restrições das normas morais que refletem uma natureza humana comum, então parece supérfluo perguntar como o fluxo de novíssimas autocriações artísticas visaram a uma satisfação experiencial adequada à explicação mais ampla da realidade.

Meu ponto principal não é que seria impossível oferecer uma interpretação plausível da realidade — "plausível", digo, não "verdadeira"! — na qual uma visão da prosperidade humana como satisfação experiencial pudesse se aninhar confortavelmente. Meu ponto principal é que muitos atualmente não se importam em viver de acordo ou em desacordo com a realidade. Eles querem o que querem, e isso constitui uma justificativa suficiente para o quererem. Argumentos acerca de como os desejos deles correspondem a uma visão mais abrangente da realidade — como eles se relacionam com "a natureza humana", por exemplo — simplesmente não vêm ao caso.

Criador e criaturas

É um erro — um grande erro — não se preocupar sobre em que medida nossa noção de prosperidade corresponde à natureza da realidade. Se vivermos em desacordo com a realidade, provaremos grandes emoções, mas não teremos satisfação duradoura, muito menos capacidade de viver uma vida gratificante. É nisso que sempre insistiu a tradição cristã, juntamente com outras grandes religiões e tradições filosóficas. Os grandes santos e teólogos cristãos e líderes leigos do passado acreditavam que as visões da prosperidade humana tinham de ser coerentes com as ideias acerca de Deus como a fonte e o objetivo da realidade total. Mas como seria possível torná-las coerentes?

Logo de saída, podemos eliminar uma opção possível. Não podemos começar com uma visão eleita da prosperidade humana e depois construir uma imagem de Deus que se encaixe nela, projetando a correspondência entre Deus e a prosperidade humana do mesmo modo como poderíamos procurar um *blazer* que combine com nossa calça. Estaríamos nesse caso conscientemente pondo em prática a devastadora crítica que fez Nietzsche da suposta origem da moralidade e da fé cristã como um todo. Segundo Nietzsche, os cristãos arquitetaram falsas crenças acerca de Deus a fim de legitimar seus valores preferidos. Se tivéssemos de começar com uma ideia da prosperidade humana e depois "construir" Deus para combiná-lo com os nossos valores, então a única diferença entre a versão de Nietzsche e a nossa seria o descarte daqueles valores tidos como perversos por Nietzsche e sua defesa por nós que os consideramos salutares. Mais importante, construindo uma imagem de Deus que correspondesse a noções dadas da prosperidade humana, estaríamos aprovando uma das mais problemáticas falhas da fé — despojando a fé de sua própria integridade e transformando-a num simples instrumento dos nossos interesses e propósitos.

Voltemos mais uma vez a Agostinho. Podemos resumir suas convicções acerca de Deus, do mundo, dos seres humanos e da prosperidade humana em quatro breves proposições, talhadas para realçar a posição dele em relação às posições dos estoicos, de Nietzsche e de muitos dos nossos contemporâneos. Primeiro, ele acreditava que Deus não é uma Razão impessoal disseminada pelo mundo, mas sim uma "pessoa" que ama e, por sua vez, pode ser amada. Segundo, ser humano é amar; nós podemos escolher *o que* vamos amar, mas não *se* vamos amar. Terceiro, vivemos bem quando amamos tanto a Deus como ao próximo, sintonizando-nos com o Deus que ama. Quarto, nós prosperaremos e seremos realmente felizes quando descobrirmos a alegria no amor ao Deus infinito e ao nosso próximo em Deus.

Para Agostinho, as convicções acerca de Deus, dos seres humanos e da prosperidade humana, todas convergem. Esse é o lado positivo da correspondência: ela especifica o que está "dentro", por assim dizer, quando se trata da prosperidade humana. Mas a correspondência também especifica o que está "fora". Se compartilhamos as convicções de Agostinho acerca de Deus e dos seres humanos, temos de rejeitar algumas interpretações da realidade e algumas visões da prosperidade humana. Considerem-se mais uma vez, agora de uma perspectiva agostiniana, as visões da prosperidade apresentadas pelos estoicos, por Nietzsche e por autores ocidentais contemporâneos.

Se nós acreditamos que Deus é amor e que fomos criados para amar, o ideal estoico da tranquila autossuficiência não se aplica. Em vez de cuidar do bem-estar do próximo na mesma medida com que cuidamos de conduzir bem a nossa vida, como faziam os estoicos, cuidaremos do bem-estar do nosso próximo — incluindo sua tranquilidade — por amor a ele, não apenas por amor a nós mesmos.[34] Nossa preocupação será então não apenas vivermos bem. Em vez disso, lutaremos para que a vida transcorra bem para os nossos vizinhos e para que eles a conduzam bem, e nós reconheceremos que a prosperidade deles está intimamente vinculada à nossa prosperidade.[35]

De modo semelhante, se acreditamos que Deus é amor e que fomos criados para amar, nos sentiremos indispostos a acreditar que a nobre moral nietzschiana projetada para ampliar a excelência dos "seres humanos superiores" é um bom caminho para a prosperidade humana. A compaixão e a ajuda em benefício daqueles cuja vida não vai bem — os vulneráveis, os fracos — serão então componentes essenciais do *nosso* bem viver.

Finalmente, se acreditamos que Deus é amor e que fomos criados para amar, rejeitaremos a noção de que a prosperidade consiste em sentir-se experiencialmente satisfeito. Em vez disso, acreditaremos que nos sentiremos experiencialmente satisfeitos quando realmente prosperamos. Quando é que realmente prosperamos? Quando é que vivemos bem e conduzimos uma vida boa e a nossa vida vai bem? Conduzimos bem a nossa vida quando amamos a Deus de todo o nosso ser e quando amamos o próximo como amamos (apropriadamente) a nós mesmos. Nossa vida vai bem quando nossas necessidades básicas são satisfeitas e quando experienciamos o amor que vem de Deus e do próximo, quando somos amados como somos, com o nosso caráter específico e a nossa história, apesar de nossas fragilidades e fracassos. Ecoando o comentário de Agostinho sobre o contraste entre as visões cristã e epicurista da felicidade, em vez de nosso *slogan* ser "Vamos comer e beber" (ou alguma versão mais sofisticada disso que privilegia os "prazeres superiores"), o nosso *slogan* deveria ser "Vamos doar e orar".[36]

Amar a Deus, amar ao próximo

O que escrevi sobre a relação entre Deus e a prosperidade humana é apenas um eco teológico de dois versículos centrais das Escrituras cristãs: "Deus é amor" (1Jo 4.8) e "'Ame o Senhor, o seu Deus, de todo o seu coração, de toda a sua alma, de todas as suas forças e de todo o seu entendimento' e 'Ame o seu próximo como a si mesmo'" (Lc 10.27). Cada um desses dois versículos, de um modo diferente com uma modulação cristã específica, repete temas profundamente arraigados nas Escrituras hebraicas — temas do permanente amor de Deus por Israel (Êx 34.6) e do mandamento de amar a Deus e ao próximo (Lv 19.18; Dt 6.5). Concluindo, permita-me aplicar essa noção da prosperidade humana, juntamente com as convicções acerca de Deus que sustentam sua base, às funções apropriadas da fé na vida humana.

Como observo no capítulo 1, todas as religiões proféticas, incluindo a fé cristã, têm estes dois movimentos fundamentais: a ascensão para Deus a fim de receber a mensagem profética e o retorno para o mundo a fim de trazer a mensagem recebida e aplicá-la a realidades mundanas. Esses dois movimentos são essenciais. Sem ascensão, não há nada para comunicar; sem retorno, não há ninguém para receber a comunicação.

As falhas da fé, em sua maioria, estão enraizadas na falta de amor pelo Deus do amor ou na falta do amor pelo próximo. As falhas da ascensão acontecem quando não amamos a Deus como devemos. Ou amamos os próprios interesses, propósitos e projetos e depois empregamos uma linguagem acerca de Deus para concretizá-los (podemos chamar isso de "redução funcional"), ou amamos o Deus errado (podemos chamar isso de "substituição idólatra"). As falhas do retorno acontecem quando não amamos nem ao próximo nem a nós mesmos de modo apropriado — quando a fé ou simplesmente nos energiza ou nos cura, mas não molda a nossa vida para que a vivamos em nosso próprio benefício ou do próximo; ou quando impomos a fé aos que nos cercam independentemente dos desejos deles.

O desafio que os cristãos enfrentam é no fim das contas muito simples: amar a Deus e ao próximo do modo correto para que possamos evitar as falhas da fé e nos relacionar com Deus positivamente visando à prosperidade humana. E, no entanto, o desafio também é complexo e difícil. Permitam-me realçar três aspectos.

Primeiro, precisamos *esmiuçar* a relação de Deus com a prosperidade humana no que diz respeito a muitas questões concretas que enfrentamos hoje — da pobreza à degradação do meio ambiente, das questões bioéticas às relações internacionais, do sexo à prática governamental. Sem mostrar como um entendimento cristão de Deus e uma visão humana da prosperidade se aplicam a questões concretas, essas noções permanecerão vagas e inativas, com pouco impacto sobre o nosso real estilo de vida.

Segundo, precisamos *tornar plausível* a alegação de que o amor a Deus e ao próximo é a chave da prosperidade humana. Durante séculos, os descrentes não só questionaram a existência de Deus, mas também injuriaram a natureza de Deus, o modo como ele se relaciona com o mundo e, consequentemente, as explicações teístas de como os seres humanos devem viver em relação a Deus. Às vezes tem-se a impressão de que eles não se importariam com a existência de Deus se simplesmente pudessem ter acreditado que ele é bom para nós. E isso apenas enfatiza como é difícil tornar plausível para os não crentes a conexão entre Deus e a prosperidade humana. Pois a noção do que é "bom para nós" — e não apenas a existência de Deus — é fortemente contestada.

Terceiro, talvez o desafio mais difícil para os cristãos seja *acreditar* de fato que Deus é fundamental para a prosperidade humana. Ora, não basta acreditar nisso como poderíamos acreditar que pode haver água em algum planeta distante. Precisamos acreditar nisso como sendo a convicção pétrea que molda o nosso modo de pensar, pregar, escrever e viver. Charles Taylor conta que ouviu Madre Teresa falando sobre sua motivação para trabalhar com os deserdados e moribundos de Calcutá. Ela explicou que desempenhava a árdua tarefa de cuidar deles porque eles foram criados à imagem de Deus. Sendo um filósofo católico, Taylor pensou consigo: "Eu também poderia ter dito aquilo!". E em seguida, sendo uma pessoa introspectiva e um refinado filósofo, ele se perguntou: "Mas eu estaria *falando a sério*?".

Este, penso eu, é o desafio mais fundamental para os teólogos, sacerdotes e ministros, e para os cristãos leigos: *afirmar a sério* que a presença e a atividade do Deus de amor, que pode nos levar a amar ao nosso próximo como a nós mesmos, é a nossa esperança e a esperança do mundo — que esse Deus é o segredo da nossa prosperidade como pessoas, culturas e habitantes independentes de um único globo.

Parte II

FÉ ENGAJADA

5

Identidade e diferença

Um ator entre muitos

As religiões, especialmente o cristianismo, estão tendo sucesso em muitas partes do mundo hoje em dia. Ao mesmo tempo, uma sensação de crise afetou muitas comunidades no Ocidente. Outrora instituições sociais dominantes naquilo que era considerado "o Ocidente cristão", atualmente elas se veem cada vez mais nas margens, e em alguns lugares até mesmo no exílio. Lembrando muito o modo como arranha-céus apequenaram igrejas (algumas delas, como a Igreja Dowanhill de Glasgow, foram transformadas em teatros, salas de conferência, bares, restaurantes e até boates), outros importantes atores sociais religiosos e não religiosos excluíram comunidades cristãs. As igrejas ocidentais têm um passado do qual gostam de se orgulhar, mas um futuro que parecem temer.

Não querendo aceitar esse novo papel diminuído, algumas comunidades cristãs ainda tentam se inserir como competidoras da primeira divisão nos jogos sociais. Na maioria das vezes, porém, elas descobrem que poucas de suas velhas jogadas ainda funcionam; tropeçam na bola e não sabem como dar um passe, sem falar em marcar um gol. A história da Direita Cristã dos Estados Unidos, dos anos 1970 até o presente, poderia ser vista como uma história das tentativas fracassadas de algumas comunidades cristãs de reconquistar sua influência de tempos passados por meios políticos.

É compreensível que os cristãos queiram ter influência social. A responsabilidade de "consertar o mundo" e trabalhar para o bem comum está gravada no próprio caráter do cristianismo como religião profética; é uma consequência do compromisso de amar a Deus e ao próximo. Mas, no futuro, os cristãos provavelmente exercerão essa influência menos a partir dos centros do poder e mais a partir das margens sociais. Além disso, estejam eles situados junto aos centros do poder ou longe deles, num mundo cultural e religiosamente pluralista as comunidades cristãs serão apenas um entre muitos atores.

Para os que estão familiarizados com a história primitiva da igreja cristã — e para observadores cuidadosos de jovens e vibrantes comunidades cristãs no mundo não ocidental —, há algo estranho acerca da presente sensação de crise no Ocidente. As comunidades cristãs primitivas não eram, de modo algum, atores sociais importantes! Não estavam sequer entre os espectadores que torciam ou vaiavam. Caluniados, discriminados, constituindo uma minoria perseguida, os cristãos eram, na melhor das hipóteses, uma espécie de espinho na carne da sociedade. No entanto, apesar de marginalizadas, as comunidades cristãs primitivas celebravam a esperança em Deus e proclamavam com alegria o Senhor ressuscitado enquanto se esforçavam para seguir os passos do Messias crucificado. Foi ele quem lhes ensinou:

> Bem-aventurados os perseguidos por causa da justiça, pois deles é o Reino dos céus. Bem-aventurados serão vocês quando, por minha causa, os insultarem, os perseguirem e levantarem todo tipo de calúnia contra vocês. Alegrem-se e regozijem-se, porque grande é a sua recompensa nos céus, pois da mesma forma perseguiram os profetas que viveram antes de vocês.
>
> Mateus 5.10-12

Para as comunidades cristãs primitivas, serem perseguidas não era nenhuma causa de alarme, mas uma (desagradável) ocasião de se regozijarem. Estar encurralado num canto escuro longe da vista do público não era sinal de fracasso, mas de manter-se em boa companhia. De modo muito semelhante ao de numerosos seguidores de Cristo perseguidos no mundo de hoje, as igrejas primitivas ao que parece tiveram de enfrentar sua precária marginalidade com confiança e espírito criativo. Nós, ocidentais, em contraste com isso, estamos alarmados com a diminuição da nossa influência. Em meio a uma oposição feroz, os cristãos primitivos celebraram e incorporaram um estilo de vida — vida que eles experimentaram como uma dádiva de Deus e que era modelada em Cristo, um parâmetro da verdadeira humanidade. Em contraste com isso, vivendo em liberdade e na prosperidade econômica, muitas igrejas do Ocidente, principalmente nos Estados Unidos, lamentam a perda de influência e tramam formas de reconquistá-la mediante a conquista de poder político.

Eu me absterei aqui de examinar o passado para descobrir a evolução gradual que trouxe as igrejas ocidentais ao ponto em que se encontram hoje, tanto em relação à forte sensação de responsabilidade social como em relação à expectativa de serem uma força dominante ou pelo menos importante da vida pública. Em vez disso, vou me concentrar no futuro e tentar imaginar novamente a relação entre o evangelho e as múltiplas culturas religiosas e não religiosas nas sociedades contemporâneas. Meu objetivo é banir a melancolia e criar uma nova esperança para as comunidades cristãs no início do século 21, uma esperança ao mesmo tempo mais modesta e mais robusta do que as igrejas do Ocidente têm tido nos últimos tempos. Para expressar exatamente o meu objetivo: quero criar comunidades cristãs que se sintam mais confortáveis sendo simplesmente um entre muitos atores, de modo que em qualquer lugar onde se encontrem — nas margens, no centro, ou em algum ponto intermediário — elas possam promover a prosperidade humana e o bem comum.[1] Em circunstâncias diferentes, elas podem readquirir a vibração e a confiança das igrejas primitivas.

O esboço deste capítulo é simples. Primeiro, observo as quatro principais características de sociedades contemporâneas e os tipos de relações entre comunidades cristãs e a cultura mais ampla que essas características favorecem ou não. Segundo, exploro brevemente o que considero serem três maneiras inadequadas de uma vida cristã nessas sociedades. Terceiro, proponho uma maneira melhor.

Contexto social

Quatro características de sociedades contemporâneas fornecem o contexto de como comunidades cristãs devem entender sua identidade no mundo de hoje e como elas devem promover a prosperidade humana e o bem comum. Para esboçar as quatro características e como elas afetam comunidades cristãs, vou me basear no famoso contraste entre "igreja" e "seita", que Max Weber e Ernst Troeltsch traçaram há mais de um século.

Voluntarismo

Segundo a distinção de Weber entre "igreja" e "seita", uma pessoa nasce no seio de uma igreja, mas adere voluntariamente a uma seita.[2] A "igreja" se parece mais com uma família, ao passo que a "seita" se parece mais com um clube; numa família você nasce, mas a um clube você escolhe aderir. Nas sociedades contemporâneas, só existem "seitas", *grosso modo*. Em vez de sermos designados para comunidades religiosas independentemente de nossa vontade, nós geralmente as escolhemos.[3] Sem dúvida, as comunidades cristãs se mantêm unidas por algo mais do que apenas as escolhas de seus membros. Apegamo-nos a certas pessoas, lugares e rituais; nos habituamos com certas práticas eclesiásticas. E, no entanto, em tudo isso nossas escolhas desempenham um papel indispensável; sempre podemos abandoná-las e aderir a outro grupo.[4]

Mesmo se é verdade que as escolhas são determinadas por muitos fatores,[5] todas as comunidades religiosas vivem por meio das escolhas de seus membros.

Diferença

Segundo o contraste entre "igreja" e "seita", todos os que nascem numa igreja pertencem à igreja; eles são seus muitos e diversos filhos e filhas, santos da mesma forma que inveterados pecadores e todos os que ocupam uma posição intermediária. Contrastando com isso, a "seita" é uma associação daqueles que são "religiosa e eticamente qualificados".[6] Em sociedades contemporâneas, essa distinção é diluída. Se todo mundo está escolhendo pertencer e se, correspondentemente, grupos recebem ou rejeitam novos membros, as comunidades religiosas serão identificadas por afinidades religiosas que distinguem seus membros de não membros. As "igrejas", no sentido de Weber, adquirem as características de "seitas".

Comunidades cristãs poderão sobreviver e prosperar em sociedades contemporâneas somente se elas prestarem atenção à sua "diferença" das culturas e subculturas que as cercam. O seguinte princípio se verifica: quem quer que as comunidades cristãs existam deve querer que elas se diferenciem da cultura em que estão inseridas, não que se fundam com ela. Consequentemente, as comunidades cristãs devem "gerenciar" sua identidade engajando-se ativamente na "manutenção de fronteiras".[7] Sem fronteiras, as comunidades se dissolvem. A questão não é se deve ou não haver fronteiras, mas sim qual deve ser a natureza delas (isto é, em que medida devem ser permeáveis) e como devem ser mantidas (isto é, fortalecendo o que é específico de comunidades cristãs ou reforçando o que é central).[8]

Pluralismo

Segundo Ernst Troeltsch, que elaborou as ideias de Max Weber acerca de "igreja" e "seita", a "igreja" afirma o mundo ao passo que a "seita" se opõe a ele.[9] Embora a formulação tenha o valor de uma boa caricatura, não ficou claro que ela fosse útil mesmo quando Troeltsch a concebeu originalmente.[10] Hoje, ela perdeu quase toda a sua plausibilidade. O mundo cultural uno, que a "igreja" poderia afirmar ou a "seita" negar, estilhaçou-se numa pluralidade de mundos rapidamente mutantes que existem no âmbito de estruturas nacionais e globais amplamente abrangentes. Esses mundos culturais são em parte compatíveis e em parte incompatíveis, em parte mutuamente dependentes e em parte independentes. Eles formam em parte espaços sobrepostos e criam subculturas híbridas sempre em mutação. A simples negação ou afirmação desse mundo é impossível. De modo semelhante, a simples alegação de que a mensagem cristã é (ou pode ser tornada) inteligível para "o mundo" não se verifica. Precisamos de formas mais complexas de ponderar a relação com a cultura para levar em conta a complexa e rapidamente mutante pluralidade dos mundos culturais que compõem as sociedades contemporâneas.[11]

Autossuficiência relativa

Segundo a tipologia, a "igreja" ocupa o centro da sociedade e é influente, ao passo que a "seita" se situa nas margens e é socialmente impotente. A "igreja" assume compromissos com o mundo na tentativa de transformá-lo de acordo com a vontade de Deus, ao passo que a "seita" se mantém pura — deixando o mundo para o "príncipe das trevas" ou, raramente, tentando transformá-lo na "nova Jerusalém" — e permanece socialmente irrelevante.[12]

Hoje, essa distinção não é plausível. Primeiro, o que a sociologia denomina "diferenciação funcional" da sociedade — o fato de vários subsistemas sociais se especializarem no desempenho de funções específicas, tais como atividades econômicas, educacionais ou midiáticas — implica a (relativa) autossuficiência e autoperpetuação de subsistemas sociais. E isso, por sua vez, significa que os subsistemas resistem à influência de valores que vêm de fora.[13] Além disso, os mais poderosos desses subsistemas — subsistemas econômicos e midiáticos — são de natureza global mais do que local.

Segundo, diferentemente do que acontece em sociedades tradicionais com seus chefes, reis ou ditadores, nenhum centro de poder mantém a coesão de sociedades contemporâneas e da ordem mundial como um todo por meio do controle e direção do funcionamento delas. Sob muitos aspectos, em culturas contemporâneas ninguém exerce o controle (e o mundo parece descontrolado).[14] Dentro de certos parâmetros e faixas de possibilidades, a rápida mudança cultural hoje acontece como resultado de múltiplas interações entre diversos atores — diversos em seus interesses e valores bem como no grau de seu poder.

A internet pode ser um caso paradigmático da "cultura" do controle diminuído. Primeiro, a internet tem exercido imenso impacto no mundo inteiro, mas esse impacto cultural não resultou nem da intenção de seus inventores nem do subsequente controle de quem quer que seja. Quando J. C. R. Licklider pensou na interação social por meio de um conjunto de computadores globalmente interconectados, duvido que ele planejasse o absurdo crescimento da indústria da pornografia. Segundo, embora a internet "tenha sido programada com um conjunto de opções inseridas em diferentes interfaces e plataformas" e embora ela seja administrada com mão de ferro em alguns países, mesmo assim os usuários são "simultaneamente consumidores e produtores", e podem "personalizar e apropriar-se criativamente desse espaço para suas próprias necessidades e resultados". Nesse processo, novas formas de autoridade, alheias aos "fluxos normais de autoridade ou processos tradicionais de veto", aparecem e desaparecem.[15] O controle é exercido, mas é difuso; ninguém controla o processo total.

Como todos os outros grupos, as comunidades cristãs podem influenciar sociedades contemporâneas sobretudo de dentro para fora, somente por etapas e sem poder controlar os resultados de suas intervenções. Para uma mudança abrangente, seria necessária uma revolução global. Consequentemente, as comunidades cristãs precisam aprender como atuar com vigor pela limitada mudança possível, lamentar persistentes e ao que parece inerradicáveis maldades e celebrar o bem onde quer que ele aconteça e independentemente de quem são seus agentes.[16]

Antes de discutir uma melhor maneira para o cristianismo se relacionar com a cultura, preciso primeiro examinar brevemente o que passei a ver como propostas inadequadas acerca de como as comunidades cristãs deveriam entender sua presença em sociedades contemporâneas e promover o bem comum. Criticando essas propostas, prepararei o caminho para chegar a uma forma mais adequada de ponderar essa questão.

O programa liberal: acomodação

Uma forma de pensar sobre o envolvimento cristão com a cultura mais ampla para o bem comum, associada ao clássico liberalismo teológico, funciona mais ou menos assim: traduzir a mensagem cristã em conceptualizações da cultura na qual vivemos, e ajustar seus valores pessoais às práticas sociais dessa cultura. Essa acomodação é possível, diz a argumentação, porque as convicções e práticas modernas ou são em si mesmas uma exteriorização do que está no âmago da fé cristã ou estão em sintonia com isso. A acomodação é necessária porque, se assim não fosse, a fé ficaria presa às relíquias do passado — interpretações implausíveis da realidade e convicções morais ultrapassadas — e deixaria de ser convincente para as pessoas de hoje. Dessa perspectiva, a escolha se dá entre a acomodação e a irrelevância.

No entanto, como estratégia geral mais do que como resultado de decisões *ad hoc*, a acomodação está na contramão no mínimo por duas razões. A primeira tem a ver com o rápido ritmo da mudança cultural nas sociedades contemporâneas. G. K. Chesterton espirituosamente observou que "aqueles que se casam com o espírito da época vão se ver viúvos na época seguinte". Hoje, todos esses casamentos estão fadados a ter vida muito breve. A segunda tem a ver com o efeito combinado do caráter pluralista da cultura contemporânea e da sensação de que ninguém está no comando. A consequência é que as comunidades cristãs estão se adaptando àquilo que elas não moldaram e só sabem moldar de modo limitado. De fato, por meio da adaptação, elas estão basicamente renunciando à promoção da mudança.

Reconstruções da fé cristã guiadas pela estratégia da acomodação contêm em si as sementes de uma possível autodestruição cristã.[17] Depois de elas terem se adaptado, na maioria das vezes o que resta para as comunidades cristãs é aparecer depois de um *show* não cristão e repetir a apresentação a seu modo para uma plateia com escrúpulos cristãos. A voz das comunidades cristãs tornou-se um simples eco de uma voz que não é a delas. Em uma de suas hipérboles características, Stanley Hauerwas e Will Willimon descrevem deste modo a consequência da estratégia da acomodação: "Lamentável! Ao nos inclinarmos para conversar com o mundo moderno, acabamos tropeçando e caindo. Perdemos os recursos teológicos para resistir, perdemos os recursos até mesmo para ver que havia algo digno da nossa resistência".[18]

O programa pós-liberal: revertendo a direção da conformação

A alternativa pós-liberal é, em certo sentido, o anverso do programa liberal. Comentando sobre ela, Nicholas Wolterstorff descreve seu impulso básico como a "reversão do rumo da conformação".[19] Em vez de traduzir mensagens bíblicas para os conceptualismos da cultura em que se está inserido, como procurou fazer a teologia liberal, os cristãos devem descrever novamente o mundo a partir do zero com o auxílio da história bíblica.[20] Toda a história do mundo — incluindo as sociedades contemporâneas com suas múltiplas e cambiantes culturas, cada uma com suas práticas e crenças parcialmente sobrepostas e parcialmente conflitantes — se situa no âmbito da história do tratamento que Deus dispensa à criação para redimi-la e levá-la à sua consumação final. Os cristãos devem interpretar o mundo e atuar nele à luz dessa história.

Mas, inseridas na história bíblica, será que as comunidades cristãs não se fecharam a conversas significativas com a cultura mais ampla? Os defensores do programa pós-liberal rejeitam com veemência essa sugestão. Para que essas conversas aconteçam, todavia, duas condições se impõem. Primeiro, se concebemos as igrejas cristãs como distintas comunidades de discurso, como fazem alguns pós-liberais, deve haver pelo menos alguma significativa compatibilidade "cultural-linguística" entre as igrejas cristãs e os mundos culturais não cristãos. Caso contrário, a comunicação será titubeante.

Segundo, a conversa com não cristãos pressupõe uma disposição cristã de ouvir e aprender. Seria arrogância bem como tolice da parte dos cristãos interpretar a cultura mais ampla apenas de sua perspectiva, sem prestar atenção ao modo como os outros interpretam a si mesmos ou ao modo como os outros interpretam as comunidades cristãs. Wolterstorff pergunta em tom de crítica:

> Mas será que a relação do teólogo da igreja com disciplinas exclusivamente não teológicas é a de derreter o ouro tomado dos egípcios? Será que alguma escultura egípcia não é bastante boa do jeito que ela é? Será que tudo cheira a idolatria? Não há nada que o teólogo da igreja possa aprender das disciplinas não teológicas?[21]

Uma abordagem mais complexa do que aquilo que sugere a metáfora da "reversão do rumo da conformação" se faz necessária. Deveríamos ter a capacidade de decidir caso por caso que rumo a conformação deve tomar — uma postura consoante com algumas versões da posição pós-liberal.[22] De que ponto de vista deveriam os seguidores de Cristo tomar essas decisões *ad hoc* sobre a direção da conformação? Um ponto de vista neutro? Nenhum ponto de vista neutro está disponível. E, em qualquer caso, para os cristãos o ponto de vista dominante é o da revelação de Deus em Jesus Cristo. Esse é o centro que define a identidade de igrejas cristãs: seu caráter interno, sua diferença de culturas ambientais, e o modo apropriado da manutenção de fronteiras.[23]

Poderia parecer que as duas condições para a conversação cristã com os mundos culturais não cristãos questionam a diferença de comunidades cristãs em relação à cultura que as cerca. Tanto a parcial compatibilidade simbólica como a disposição de aprender exigem muita proximidade. Se levarmos essas condições a sério, o que acontece com a distância, a diferença, a manutenção de fronteiras? Será que os perigos da acomodação não estão à espreita na esquina?

O programa separatista: afastamento do mundo

Uma forma de evitar os perigos da acomodação é imaginar comunidades cristãs como ilhas no mar da mundanidade. Elas teriam então seu próprio território tão claramente separado da cultura mais ampla como as rochas que se projetam das águas. Isso poderia ser visto como uma versão radical da posição pós-liberal.

Em *Discipulado*, Dietrich Bonhoeffer descreve as igrejas como estando "no meio do mundo", mas que são "afastadas do mundo".[24] Seu ambiente é para elas uma "terra estrangeira". Empregando uma imagem mais dramática, ele pensou nos cristãos como estrangeiros "apenas de passagem por um país" e nas comunidades cristãs como "trens lacrados". Ele escreve:

> A qualquer momento [a comunidade cristã] pode receber o sinal de seguir em frente. Então ela levanta acampamento, deixando para trás todos os amigos e parentes mundanos, e seguindo apenas a voz daquele que a chamou. Ela deixa o país estrangeiro e segue em frente rumo à sua casa celestial.[25]

Ao redigir essas palavras, Bonhoeffer estava dando orientação pastoral a uma igreja que enfrentava o regime nazista. Num ambiente de loucura cultural totalitária, ele via a presença da igreja no mundo como uma *passagem* — como a viagem errante sobre a terra daqueles cuja "vida reside no céu".[26] Quando se separa esse relato da relação entre a igreja e o mundo de sua situação específica, aplicando-o ao programa geral da presença cristã no mundo, sérios problemas aparecem.

Se as comunidades cristãs apenas passam pela terra, mas moram no céu, elas terão suas próprias normas morais, suas próprias práticas, e todas elas seriam não apenas determinadas exclusivamente pela revelação de Deus em Jesus Cristo, mas pouco teriam a ver com o que é considerado verdadeiro, bom e belo fora do "trem lacrado" em que moram. Os cristãos nesse caso estariam presentes em determinada cultura, mas continuariam completamente fora dela.

O problema teológico fundamental com essa visão externa da presença cristã no mundo é um entendimento equivocado dos *habitat* terrenos de comunidades cristãs. Ele pressupõe que a cultura em que elas vivem é um país estrangeiro pura e simplesmente, uma terra sem Deus, mais do que um mundo que Deus criou e considerou bom. Se, em consequência disso, as comunidades cristãs se afastam do mundo e se voltam para dentro de si mesmas, o resultado será a ociosidade da fé cristã como religião profética (ver capítulos 1 e 2). Em contrapartida, se essas comunidades cristãs entram no mundo e tentam transformá-lo à sua própria imagem — se elas se tornam o que às vezes se chama de "seitas agressivas" —, a fé cristã se tornará coercitiva (ver capítulos 1 e 3). Nesse caso, a relação das comunidades cristãs com a cultura seria semelhante àquilo que Qutb defendeu em relação ao islamismo (ver a Introdução).

No entanto, seria contradizer importantes convicções cristãs pensar que o mundo fora das comunidades cristãs não conta com a presença ativa de Deus. O Deus que "nos regenerou" não é apenas o "Pai de nosso Senhor Jesus Cristo"

(1Pe 1.3), mas também o Criador e sustentador do mundo com toda a sua diversidade cultural. Como a Palavra "veio para o que era seu" (Jo 1.11) quando ela estava em Jesus Cristo, assim também os cristãos moram em cada cultura como em seu próprio espaço. Culturas não são *países estrangeiros* para os seguidores de Cristo, são antes sua própria *terra natal*, *a criação do Deus único*. Se os cristãos se afastam do mundo, só pode ser porque e na mesma medida em que o mundo está afastado de Deus (e talvez eles mesmos estejam nessa situação). As comunidades cristãs não deveriam procurar abandonar as culturas em que nasceram e estabelecer comunidades externas ou viver dentro delas como ilhas. Em vez disso, devem continuar dentro delas e mudá-las, isto é, subverter o poder da força externa e procurar trazer a cultura para mais perto de um alinhamento com Deus e os propósitos divinos. Com a possível exceção do caso em que uma cultura se deteriora gravemente — como na Alemanha nazista —, a "diferença" cristã deve sempre permanecer *interna* em relação a determinado mundo cultural.

Diferença interna: uma atitude melhor

Como devemos entender o engajamento público se a presença cristã é uma diferença *interna*? Isso depende muito da situação. Na Londres atual seria parecer diferente em relação à Berlim dominada por Hitler ou à Moscou dominada por Stalin; e na Constantinopla do século oitavo seria parecer diferente em relação à Washington do século 18 ou à Bangalore de hoje. Neste texto, estou interessado em ambientes que estão mais próximos dos da Londres e da Bangalore de hoje — ambientes de rápida mudança, autossuficiência de subsistemas sociais, pluralismo cultural e controle reduzido —, mais do que daqueles da Constantinopla antes de ser saqueada em 1453 ou da Moscou durante a Segunda Guerra Mundial.

A explicação de Michel de Certeau dos usos que as pessoas fazem dos bens culturais produzidos para elas nos ajuda a pensar acerca da natureza do engajamento público cristão nesses ambientes. Escreve ele: "Os usuários provocam inúmeras e infinitesimais transformações da economia cultural dominante, e dentro dela, para adaptá-la aos seus próprios interesses e suas próprias regras".[27] Ele explica essa criatividade dos usuários mediante o exame de um caso extremo: a colonização da população indígena americana que começou no dia 12 de outubro de 1492, quando embarcações espanholas atracaram no litoral da América Latina. Nós às vezes deixamos de ver que, apesar da opressão sofrida e da sua impotência, a população indígena não foi simplesmente a receptora passiva de uma cultura imposta. De Certeau escreve:

> Os índios muitas vezes usaram as leis, práticas e representações que lhes foram impostas pela força ou pela fascinação visando a fins diversos daqueles de seus conquistadores; eles as transformaram em alguma outra coisa; subverteram-nas de dentro para fora — não rejeitando-as ou transformando-as (embora isso também tenha acontecido), mas por meio de muitas maneiras diferentes de usá-las em benefício de normas, costumes ou convicções estranhas à colonização da qual não podiam escapar. Eles metaforizaram a ordem dominante: fizeram-na funcionar num registro diferente. Mantiveram-se outros dentro do sistema que eles assimilaram e que externamente os assimilou. Eles desviaram-se sem ir embora. Modos de consumo mantiveram sua diferença dentro do próprio espaço que o invasor estava organizando.[28]

A imagem da conquista e colonização não é plenamente adequada para descrever a relação entre culturas e comunidades cristãs. Pois a cultura não é simplesmente um poder invasor ao qual se deve resistir. É um espaço onde se vive, o ar que se respira. Deixando de lado a imagem da imposição colonial, preste atenção à explicação de Michel de Certeau do que é viver dentro de uma cultura dominante. As imagens principais dizem respeito a "metaforizar" a cultura, fazendo-a funcionar num registro diferente, subvertendo-a de dentro para fora, usando-a para fins diferentes, desviando-se dela sem abandoná-la, e assim por diante. Essas são maneiras de expressar a atitude intermediária entre abandonar e dominar a cultura, de descrever o que poderia significar defender a própria diferença e ao mesmo tempo permanecer dentro dela.

Vamos tomar agora a ideia básica desse autor de "desviar-se da cultura sem abandoná-la" em suas múltiplas variantes e aplicá-la à relação das comunidades cristãs com a cultura mais ampla. Quais seriam algumas opções paradigmáticas à disposição delas? Primeiro, os cristãos podem simplesmente adotar alguns elementos das culturas em que vivem. Por exemplo, não há utensílios especificamente cristãos para a alimentação. Comer com garfo e faca ou com *hashis*, no que diz respeito à fé cristã, é absolutamente irrelevante (embora a fé possa sugerir a alguém a preferência por utensílios com um belo *design* e bem feitos, e por aqueles criados com base em práticas de uso sustentável). Mas os cristãos muitas vezes farão uso de elementos adotados de determinada cultura de um modo diferente, orientados pela história de Jesus Cristo. Para ficar no exemplo de práticas alimentares, uma refeição pode ser uma ocasião de expressar generosidade e adoração a Deus mais do que um ato de autogratificação individual ou coletiva. O caráter da refeição, nesse caso, muda. De fato, muda até o caráter da própria fome. É famoso o que escreveu sobre isso Karl Marx: "Fome é fome, mas a fome satisfeita com carne assada consumida usando-se garfo e faca é uma fome que difere daquela que devora carne crua com a ajuda de mãos, unhas e dentes".[29] De modo semelhante, a fome que é gratificada no compartilhamento com estranhos e na adoração de Deus é uma fome diferente daquela que é gratificada com a única preocupação do próprio prazer individual solitário.[30]

Às vezes dar às coisas destinos diferentes pode exigir mudanças das coisas em si. Para ser um lugar bom e hospitaleiro, uma casa talvez precise diminuir o tamanho do quarto do casal para acomodar um quarto de hóspedes e uma sala de visitas maior — e isso me leva à segunda maneira de viver a diferença cristã no âmbito de determinada cultura: a maioria dos elementos de uma cultura será assumida, mas transformada de dentro para fora.

O que os cristãos fazem com a língua é um bom exemplo. Os cristãos usam a mesma língua da cultura geral, mas eles introduzem nela campos semânticos de palavras com novos conteúdos. "Deus" é o termo mais fundamental do vocabulário cristão. Os cristãos não o inventaram; herdaram-no dos hebreus, o povo de Deus, que, por sua vez, o haviam adotado do seu ambiente cultural. No entanto, como para os judeus "Deus" passou a significar "o Deus de Abraão e Sara, o Deus de Moisés e Miriã", assim para os cristãos o campo semântico do termo "Deus" em parte mudou para significar "o Pai de Jesus Cristo" e acabou desembocando no entendimento de Deus como o Santíssimo que é a Santíssima Trindade. A maioria dos termos cristãos passou por transformações internas semelhantes.

O mesmo é verdadeiro em relação a muitas práticas cristãs. Os cristãos participam de práticas culturalmente definidas, mas adaptando-as a partir de seus valores dominantes — enraizados na revelação de Deus em Jesus Cristo. Tomemos como exemplo o casamento. Muitos de seus elementos são os mesmos para os cristãos e para os não cristãos da mesma cultura. No entanto, para os cristãos o amor entre os parceiros é um eco da relação entre Cristo e a igreja: os dois parceiros dispostos a entregar-se mutuamente, em mútuo benefício, e com isso amando-se cada um a si mesmo e ao outro como a si mesmo (cf. Ef 5.21-33).

Terceiro, podem existir alguns elementos de determinada cultura que os cristãos terão de rejeitar. A instituição da escravidão é um bom exemplo; ela simplesmente teve de ser descartada, ainda que inicialmente só fosse esvaziada do seu conteúdo interior mais do que diretamente abolida como instituição social. Em Cristo já não há nem "escravo nem livre", mas todos são "filhos de Deus mediante a fé" (Gl 3.26-28). Filemom, dono de escravo, devia receber Onésimo, o escravo fugitivo, como "irmão muito amado" (Fm 1.16). Quando ambos, o dono e o escravo, mutuamente se reconhecem como "irmãos muito amados" — e, ecoando Georg W. F. Hegel, quando cada um deles reconhece o reconhecimento mútuo[31] —, a escravidão está abolida mesmo quando seu contexto institucional permanece como uma realidade opressora.

Das três maneiras complementares de relacionar-se com a cultura, resulta que a identidade cristã em determinado contexto cultural é sempre uma rede complexa e flexível de pequenas e grandes recusas, divergências, subversões e de propostas e sanções alternativas mais ou menos radicais e abrangentes, em meio à aceitação de muitos dados culturais. Não há uma maneira única de se relacionar com determinada cultura em sua totalidade, nem mesmo com sua pressão dominante; há apenas numerosas maneiras de aceitação, transformação ou substituição de determinada cultura de dentro para fora. Os cristãos nunca têm seu território cultural *próprio e exclusivo*, isto é, sua própria e exclusiva língua ou racionalidade, seus próprios e exclusivos valores e práticas. Eles falam a língua que aprenderam de outros, embora metaforizem seu significado. Eles herdam a estrutura de valores da cultura em geral, mas mudam mais ou menos radicalmente alguns de seus elementos e se recusam a aceitar outros. Eles tomam os valores de determinada cultura e, no entanto, os subvertem mudando-os parcialmente, recusando obediência a alguns deles e introduzindo valores novos.

Tornar-se cristão significa desviar-se sem ir embora. Viver como cristão significa continuar inserindo uma diferença em determinada cultura sem nunca, para tanto, sair dela.

Dois nãos e um sim

Peço permissão para resumir em três sucintas proposições — duas negações e uma afirmação — minha explicação da diferença interna como modelo da identidade cristã e do engajamento em sociedades contemporâneas.

Não à transformação total

O fato de a diferença cristã ser interna em relação a determinada cultura significa que os cristãos não dispõem de nenhum lugar a partir do qual possam transformar *toda a cultura em que habitam* — nenhum lugar a partir do qual possam incumbir-se daquele eminentemente moderno projeto de reestruturar toda a vida social e intelectual; nenhum terreno virgem sobre o qual possam começar a construir uma nova cidade, radicalmente diferente.[32] Nenhuma transformação total é possível; todas as transformações são reconstruções das estruturas que devem ser habitadas enquanto a reconstrução está em andamento. Nenhuma transformação total é desejável. Considere-se a nova Jerusalém escatológica descrita no Apocalipse como descendo "dos céus, da parte de Deus" (21.2). Ela não é concebida e construída por cristãos. E, no entanto, ela permanece em continuidade e não simplesmente em descontinuidade em relação à velha ordem; diz-se que "a glória e a honra das nações" — nações não cristãs! — "lhe serão trazidas" (21.26).[33]

O que os cristãos acabam construindo no decurso da história não se parece com uma cidade moderna, como Brasília, totalmente projetada e construída a partir do zero. Em vez disso, eles estão ajudando na construção do que mais parece ser uma cidade antiga com seus "labirintos de ruelas e largos, de casas velhas e novas e de casas com acréscimos de várias épocas; e tudo isso em meio a uma multidão de novos bairros com ruas regularmente retas e casas uniformes em seu estilo".[34] É assim que o filósofo Ludwig Wittgenstein descreve a língua humana. Uma espécie semelhante de mudança acontece com o passar do tempo quando os cristãos se inserem, juntamente com muitos e variados não cristãos, em determinada cultura.

Não à acomodação

A acomodação à cultura mais ampla tampouco deve fazer parte do projeto cristão. Nós estamos acostumados com a rejeição da acomodação promovida pelos fundamentalistas da velha guarda. E nisso eles estavam certos (embora eles muitas vezes não vivessem à altura de sua própria retórica e se acomodassem de maneiras bastante previsíveis, só que a aspectos da cultura que divergiam daqueles de seus competidores progressistas). A estratégia da acomodação não funcionou e, dada a natureza das sociedades contemporâneas, a probabilidade de ela funcionar no futuro é insignificante. Pior ainda, se não for acompanhada pela afirmação da identidade cristã específica — pela diferença em relação a determinada cultura! — a acomodação traz em si sementes de autodissolução do cristianismo.

Se a identidade cristã é importante, então a diferença também é. No sentido mais geral, descarte-se a diferença e o que sobra será *nada*: você mesmo, junto com tudo o mais, submergirá no mar de "coisas" indistintas. Apagar a diferença é desfazer a criação, aquele intrincado padrão de separações e interdependências que Deus estabeleceu quando foi formado o universo a partir de coisa *nenhuma*. Literalmente, *cada* coisa depende da diferença.[35] Agora aplique essa percepção à relação entre o evangelho e a cultura. Aqui também tudo depende da diferença. Se você tem a diferença, você tem o evangelho. Se não a tem, terá ou a simples velha cultura ou o reino universal de Deus, mas não terá o evangelho. O evangelho sempre diz respeito também à diferença; no fim das contas, ele significa boa-nova — algo bom, algo *novo*, e, portanto, algo diferente!

Mas como devemos "negociar" a identidade cristã e a diferença em meio à mudança cultural? Primeiro, a identidade cristã é estabelecida não principalmente negando e combatendo o que está fora, mas abraçando e realçando o centro do que está dentro: Jesus Cristo como a Palavra que se fez carne e se tornou o Cordeiro de Deus que tira o pecado do mundo. A diferença é importante não porque a singularidade é importante; em se tratando da fé cristã (diferentemente da cultura ou da personalidade), a singularidade é um não valor. A diferença é tão importante quanto a identidade, e na mesma medida. Expressando a ideia de maneira um pouco diferente, a identidade cristã entendida adequadamente não é reativa, mas positiva; o centro define a diferença, não o medo dos outros, nem da desconfortável proximidade deles ou sua perigosa agressividade.

Segundo, a relação com o que está fora deve ser regida pelo amor. "Pois Deus tanto amou o mundo" — o mundo como boa criação de Deus e o mundo como desgarrado e até distorcido — que enviou Jesus Cristo ao mundo para salvá-lo. De modo semelhante, os seguidores de Jesus Cristo são enviados ao mundo como ele foi enviado, para amar amigos e inimigos, correligionários e infiéis, e alegrar-se com tudo o que é verdadeiro, bom e belo onde quer que encontrem isso.

Terceiro, as fronteiras devem ser permeáveis. Sem fronteiras, os grupos perdem a identidade e abdicam de qualquer possibilidade de impacto social. Mas as fronteiras das comunidades cristãs não podem ser muros impenetráveis de altas fortalezas. Elas devem ser abertas ao trânsito para sair (engajando-se para conseguir mudanças) bem como para entrar (apreciando o bom que está fora e aprendendo com ele).

Uma maneira de expor essa ideia seria dizer que a acomodação acontece você querendo ou não; é um fato. A diferença, como aqui a entendo, é uma conquista, um exercício consciente na definição da identidade pessoal em relação ao centro da fé numa troca dinâmica com as culturas circundantes pela prática do amor a Deus e ao próximo. O resultado positivo tanto da acomodação *de facto* quanto da criação consciente de fronteiras permeáveis é a enculturação, uma expressão da fé cristã em termos da cultura com a qual ela entra em contato e na qual ela cria raízes.

Sim ao engajamento

O papel profético das comunidades cristãs — seu engajamento para consertar o mundo, promover a prosperidade humana e servir ao bem comum — nada mais é do que seu próprio projeto de identidade voltado para fora e expresso em palavras e fatos. Duas consequências decorrem disso.

Primeiro, os seguidores de Cristo se engajam no mundo *com todo o seu ser*. O engajamento não é uma questão de falar ou fazer; uma questão de apresentar uma visão intelectual convincente ou encarnar um conjunto de práticas alternativas; uma questão de simplesmente tornar manifesta a riqueza e a profundidade da vida interior ou simplesmente trabalhar para mudar as instituições da sociedade; uma questão de apenas mostrar políticas alternativas quando reunidos nas celebrações eucarísticas ou simplesmente trabalhar para uma mudança na qualidade de povo disperso de Deus. É tudo isso e muito mais. A pessoa toda em todos os aspectos de sua vida se engaja na promoção da prosperidade humana e do bem comum. Embora possa ser importante distinguir entre aspectos de engajamento privado e público bem como individual e comunitário, essas dimensões estão indissoluvelmente entrelaçadas e formam uma unidade inseparável.

Segundo, o engajamento diz respeito a *todas as dimensões de uma cultura*. Diz respeito, antes de tudo, a como o *eu* é (implícita ou explicitamente) entendido e ao que ele faz no fundo de seu coração, na privacidade de sua casa e no espaço aberto da vida pública. Em seguida, diz respeito às *relações sociais* — aos direitos e obrigações das pessoas — em questões de negócios, política, entretenimento, comunicação etc. Finalmente, o engajamento cristão diz respeito à *visão do bem*, isto é, aquilo que define o que nós, como indivíduos e sociedades, devemos buscar (e, portanto, também o que devemos tentar evitar). O engajamento cristão afeta todas as dimensões de uma cultura e, no entanto, não visa transformar nenhuma delas totalmente. Em vez disso, em todas elas também busca e encontra bens que devem ser preservados e fortalecidos. É total na sua abrangência, mas limitado na sua extensão — limitado não apenas pela resistência à mudança por parte de indivíduos, sistemas sociais e sociedades inteiras, mas limitado também pela finitude e fragilidade da humanidade bem como por sua bondade inalienável.

Nos dois capítulos seguintes, exploro dois modos centrais de engajamento público cristão: o testemunho para não cristãos e a participação na vida política.

6
Compartilhamento da sabedoria

Vivemos numa época de grandes conflitos e mesquinhas esperanças.

Consideremos primeiro as nossas esperanças. No livro *The Real American Dream* [O verdadeiro sonho americano], Andrew Delbanco traça a história da abrangência dos sonhos americanos, desde o "santo Deus" dos fundadores puritanos, passando pela "grande nação" dos patriotas do século 19 e acabando no "ego satisfeito" de muitos hoje em dia. Com algumas modificações, os Estados Unidos de hoje podem ser, nesse sentido, indicadores de tendências na maioria das sociedades que estão altamente integradas no sistema de mercado global. Como argumentei no capítulo 4, a ideia de prosperar como ser humano encolheu, passando a significar nada mais que levar uma vida experiencialmente satisfatória. As fontes de satisfação podem variar: poder, posses, amor, religião, sexo, comida, drogas, seja o que for. O que importa mais não é a *fonte* da satisfação mas sim a *experiência* dela — a *minha* satisfação. O nosso ego satisfeito é a nossa maior esperança. Não só isso é mesquinho, como também é um prenúncio sombrio de decepção que teimosamente acompanha nossa obsessão pela satisfação pessoal. Fomos criados para viver algo maior do que o nosso eu satisfeito. Esperanças mesquinhas geram experiências autossubversivas, melancólicas.

Segundo, o nosso mundo está implicado em grandes conflitos (bem como em muitos conflitos menores, até triviais). Muitos deles são travados em conjunção com algum interesse religioso (o que não significa necessariamente que sejam basicamente conflitos religiosos).[1] Chocam-se cristãos e muçulmanos, e muçulmanos com judeus, hindus com cristãos, budistas com muçulmanos, e assim por diante. Juntamente com isso, o conflito entre o Ocidente (modelado pelo cristianismo) e o mundo de maioria muçulmana paira como uma sombra sobre todo mundo. Ainda que as religiões por si sós não sejam as causas desses conflitos, elas muitas vezes o legitimam e alimentam envolvendo causas mundanas — às vezes nossas mesquinhas esperanças — numa aura do sagrado.

A maioria das religiões vê como um de seus principais objetivos o esclarecimento das pessoas visando conectá-las com uma comunidade mais ampla e, de fato, com a fonte e o objetivo de toda a realidade. De modo semelhante, a maioria das religiões alega conter recursos importantes, até indispensáveis, para fomentar a cultura da paz. Mas essas duas funções da religião às vezes colidem uma com a outra. Quando religiões distintas conectam pessoas com o divino, juntando-as e oferecendo-lhes uma esperança maior do que a simples realização pessoal, comunidades com crenças religiosas diferentes às vezes se chocam. Quando as religiões tentam evitar a legitimação e a alimentação de choques interpessoais, elas muitas vezes se retraem para uma esfera privada e às vezes reforçam o ensimesmamento. Essa é uma versão da tendência das religiões do mundo de hoje de oscilar entre a coercitividade e a ociosidade, que eu observo no capítulo 1.

Um desafio central de todas as religiões num mundo pluralista é *ajudar as pessoas a superar suas mesquinhas esperanças para viver uma vida significativa, e ajudá-las a resolver seus grandes conflitos e viver em comunhão com o próximo.* É nesse ponto que entra em cena a importância de aprender a compartilhar bem a sabedoria religiosa. Se nós, como pessoas religiosas, deixamos de compartilhar bem a sabedoria, desapontaremos muitos dos nossos contemporâneos que se esforçam para levar uma vida satisfatória e, no entanto, continuam profundamente insatisfeitos, e decepcionaremos aqueles que recorrem a suas tradições religiosas para dar significado à vida e, todavia, continuam atolados em obstinados e muitas vezes fatais conflitos.

Mas como compartilhamos bem a sabedoria religiosa? Abordarei essa questão de uma perspectiva cristã. Embora não exista nenhuma forma genérica de compartilhar bem a sabedoria (sobretudo porque não existe nenhuma religião genérica), espero que os adeptos de outras religiões repercutam o que vou dizer e descubram que essas minhas ideias em parte coincidem com a maneira como, na visão deles, a sabedoria de suas tradições deve ser compartilhada. Mas primeiro peço licença para dizer alguma coisa sobre o que, dessa mesma perspectiva cristã, vem a ser a sabedoria — e por que muitos outros deveriam compartilhá-la.[2]

O que é sabedoria?

Os cristãos tradicionalmente entenderam sua fé não como um adereço de sua vida, mas como algo que por si só constitui um estilo integrado de vida.[3] De forma correspondente, a sabedoria cristã em certo sentido é a fé em si mesma, ou seja, uma interpretação totalmente abrangente da realidade, um conjunto de convicções, atitudes e práticas que orientam as pessoas no seu modo de viver bem. Aqui, "viver bem" significa viver como Deus criou os seres humanos para viver, em vez de viver na direção oposta de sua própria realidade e da realidade do mundo. A sabedoria nesse sentido é um *estilo de vida* integrado que possibilita a prosperidade de pessoas, comunidades e de toda a criação (ver capítulo 4). Sábios são os seres humanos que seguem esse caminho.

Os cristãos também entenderam a sabedoria como algo muito mais específico do que todo um estilo de vida, a saber, como *conselhos* sobre a forma de prosperar. Quando lemos em Provérbios: "O tolo não tem prazer no entendimento, mas sim em expor os seus pensamentos" (18.2), ou quando Jesus diz: "Deem, e lhes será dado" (Lc 6.38), ou quando o apóstolo Paulo diz: "Não andem ansiosos por coisa alguma" (Fp 4.6), ou quando lemos na carta aos Efésios: "Sejam bondosos e compassivos uns para com os outros, perdoando-se mutuamente, assim como Deus os perdoou em Cristo" (4.32), nós somos presenteados com sábios conselhos, com aquilo que poderíamos chamar de "pérolas" de sabedoria. Bem entendidas, essas pérolas são componentes de sabedoria como um estilo de vida. Segundo esse sentido de sabedoria, sábios são os seres humanos que seguem conselhos sábios.

Há, no entanto, uma terceira e mais fundamental maneira pela qual os cristãos entendem a sabedoria: surpreendentemente a sabedoria é uma *pessoa*. No livro de Provérbios, a sabedoria é personificada. Ela é o exato princípio da criação de Deus, e ela convoca os seres humanos a ouvi-la e a prosperar pela obediência a ela (Pv 8). Os cristãos tomaram essa "senhora sabedoria" como sendo a Palavra de Deus encarnada, Jesus Cristo (Jo 1.1-14). O apóstolo Paulo também escreve que Jesus Cristo "se tornou sabedoria de Deus para nós" (1Co 1.30). Sábios são aqui os seres humanos que seguem Jesus Cristo e, o que é ainda mais fundamental, que permitem que a sabedoria personificada habite neles, conformando-os consigo e agindo por meio deles (Gl 2.20).

Em todos esses sentidos que acabo de descrever, a sabedoria não é uma questão de gosto ou preferência pessoal ("Isso me parece sábio, por enquanto!"), como muitas vezes é a sabedoria para gente de dinâmicas e sempre cambiantes sociedades contemporâneas. A fé tampouco é um distintivo da identidade de um grupo, uma espécie de prática habitual beneficente ("Isso para nós é sabedoria, embora não seja necessariamente para você"), como poderia ser para algumas culturas ou religiões mais étnicas. Para os cristãos, a sabedoria é uma espécie de *verdade* peculiar que diz respeito a todo mundo — e diz respeito a todos da maneira mais profunda. Diz respeito a todos como seres humanos, não como membros deste ou daquele grupo ou como cumpridores de certas tarefas ou perseguidores de certos objetivos. Rejeitar a sabedoria como um estilo de vida, ou Cristo como a encarnação da sabedoria, não é como deixar a sobremesa intacta depois de uma boa refeição; é antes como recusar o próprio alimento sem o qual os seres humanos não podem verdadeiramente prosperar.

Essa alegação cristã é obviamente controversa. Ainda que não seja uma declaração negativa acerca de qualquer religião ou visão de mundo, é uma alegação de que a fé cristã tem a chave do sucesso dos seres humanos não neste ou naquele empreendimento, mas na sua condição de seres humanos. No entanto, o aspecto do cristianismo que um muçulmano, por exemplo, poderia questionar não é a afirmação de que a sabedoria de uma religião específica é considerada indispensável, mas que essa alegação se aplica à fé cristã e não ao islamismo. Por mais controverso que isso seja, a maioria dos cristãos considera essa alegação necessária. O monoteísmo judaico introduziu a ideia da verdade no mundo das religiões ocidentais.[4] O cristianismo herdou essa ideia e a radicalizou: a sabedoria da fé está indissoluvelmente vinculada à verdade universal da fé; embora maleável e receptiva em relação à mudança dos tempos e das circunstâncias, essa sabedoria é válida para todos os povos de todos os tempos.

Por motivos de concisão, quando exploro nas páginas seguintes como e por que compartilhar a sabedoria, vou em regra simplesmente juntar os três sentidos da sabedoria. A desvantagem de fazer isso é óbvia: quando se trata de como e de por que compartilhar a sabedoria, as diferenças entre esses três sentidos da sabedoria são muito importantes. As razões e a maneira do compartilhamento da sabedoria quando ela é entendida como pérolas de aconselhamento ou como um estilo de vida ou como uma Pessoa divina só se sobrepõem parcialmente. Portanto, apenas ocasionalmente apontarei diferenças no compartilhamento da sabedoria nesses três sentidos distintos, mas terei de deixar a cargo dos leitores o preenchimento de muitas lacunas.

Por que compartilhar a sabedoria?

Quais são as razões mais importantes para compartilhar a sabedoria?

Primeiro, os cristãos têm uma *obrigação* para compartilhá-la. Depois de sua morte e ressurreição, Jesus disse aos seus discípulos: "Assim como o Pai me enviou, eu os envio" (Jo 20.21) — com a missão de anunciar a boa-nova, e, numa esfera mais ampla, compartilhar a sabedoria de Deus com o mundo. Os cristãos compartilham a sabedoria porque Jesus Cristo os mandou fazer isso.[5]

Segundo, a obrigação de compartilhar sabedoria é uma expressão de *amor* ao próximo. Assim como o envio de Jesus pelo Pai se enraizava no amor de Deus ao mundo (Jo 3.16), também a missão cristã tem suas raízes no amor aos nossos semelhantes seres humanos — ou pelo menos deveria ter. Os cristãos compartilham a sabedoria visando ajudar pessoas necessitadas a encontrar significado da vida ou a resolver conflitos; visando apresentar razões para alimentar quem tem fome e vestir os nus; e visando impedir que outras pessoas definhem ou até mesmo pereçam em consequência de uma vida em desacordo com o modo como Deus nos criou para viver.[6]

Em última análise, todavia, os cristãos não compartilham a sabedoria simplesmente por obediência a uma ordem, nem pelo simples amor ao próximo. Na realidade eles a compartilham — ou pelo menos deveriam compartilhá-la — principalmente porque a sabedoria que neles habita *procura se comunicar* a outros por intermédio deles. Como se expressa o apóstolo Paulo, o "amor de Cristo nos constrange" (2Co 5.14).

Essas motivações religiosas para compartilhar a sabedoria *combinam com o caráter da fé cristã*. Como observei anteriormente, junto com algumas outras importantes religiões do mundo, o cristianismo é uma fé monoteísta de caráter profético. Vejamos primeiro a importância do *monoteísmo* para o compartilhamento da sabedoria. Quando se trata da relação de Deus com o mundo, há uma estreita correlação entre o "Único" divino e o "todo" mundano. Sendo Deus "Único", Deus é o Deus de toda a realidade. Embora sendo sempre concreta e estando em sintonia com situações específicas, a sabedoria do Deus único é a sabedoria para toda a humanidade, não apenas para uma fração dela. Ela deve, portanto, ser compartilhada com todos.

O impulso para o compartilhamento gerado pelo monoteísmo é reforçado pelo caráter profético da fé cristã. Como explico no capítulo 1, as religiões do tipo profético se estruturam a partir de dois movimentos básicos: ascensão para o reino divino (encontro com Deus, profundo estudo das Escrituras e coisas afins) e retorno com uma mensagem para o mundo — um movimento duplo bem ilustrado pelo relato dos Evangelhos, segundo os quais Jesus começou seu ministério público após jejuar no deserto. Na ascensão, as pessoas religiosas adquirem a sabedoria e são transformadas; no retorno, elas compartilham a sabedoria com seus seres humanos semelhantes a fim de transformar o mundo. A ascensão não acontece simplesmente para que o indivíduo se beneficie do encontro com Deus (como nas religiões místicas); acontece também visando ao propósito do retorno, para que o mundo seja consertado e adquira uma conformidade maior com o projeto que Deus lhe atribuiu.

Os cristãos têm fortes razões para compartilhar a sabedoria religiosa com outros. E, de modo geral, no decurso da história eles não se furtaram de fazê-lo (embora em alguns períodos seu impulso missionário intercultural tenha sido reprimido, como no caso dos protestantes desde o princípio em 1517 até por volta de 1794, quando William Carey deu início ao movimento missionário protestante moderno).[7] Há situações, porém, em que pode ser insensato compartilhar a sabedoria religiosa. No Sermão do Monte, Jesus Cristo faz a conhecida e veemente advertência: "Não deem o que é sagrado aos cães, nem atirem suas pérolas aos porcos; caso contrário, estes as pisarão e, aqueles, voltando-se contra vocês, os despedaçarão" (Mt 7.6). Essas severas palavras são um lembrete de que as relações entre as religiões às vezes são muito tensas, até violentas. Em tais circunstâncias — por exemplo, em casos de perseguição religiosa, que tem sido histórica e geograficamente muito comum e em certos lugares continua intensa hoje em dia[8] — o compartilhamento da sabedoria pode provocar incompreensão agressiva bem como mais violência. Às vezes a sabedoria aconselha seu não compartilhamento. Em outras ocasiões, apesar do rigor da oposição, a corajosa sabedoria clamará pedindo para ser ouvida simplesmente para denunciar a loucura dos oponentes.

O eu como fonte de sabedoria

Quando bem feito, o compartilhamento da sabedoria pode ser comparado à troca de presentes (ver capítulo 7). Antes de entrar em detalhes específicos sobre como dar e como receber sabedoria e como não fazê-lo, note-se uma característica importante do compartilhamento da sabedoria: é algo que se parece mais com a execução de uma peça musical para uma amiga do que com um convite para um jantar com ela. Quando sirvo um jantar para uma amiga, o que ela come eu já não tenho; pelo contrário, quando toco uma música para ela, ela recebe algo que, em certo sentido, eu continuo possuindo. Quando compartilho a sabedoria, eu não me separo do que presenteio; pelo contrário, é possível que eu passe a possuir aquilo de um modo mais profundo.[9]

O que significa compartilhar bem a sabedoria? Como compartilhá-la com responsabilidade? Vou explorar essas questões examinando como devemos agir seja como concessores, seja como recebedores da sabedoria. Desde os primórdios da igreja, os cristãos testemunharam publicamente a sua fé. A igreja nasceu no dia de Pentecostes,[10] e naquela ocasião os discípulos do crucificado e ressuscitado Jesus Cristo falaram sobre ele em muitas línguas para gente de muitas partes do mundo. Ativamente, eles compartilharam a sabedoria de sua fé nas três dimensões descritas acima: como pérolas, como um completo estilo de vida e como sabedoria encarnada.

Para os cristãos, *testemunhar* é uma forma-chave de compartilhar a sabedoria. Mas o que significa testemunhar bem? Primeiro, a testemunha *não é um tirano* que se impõe. Sem dúvida, no decurso da história os cristãos algumas vezes procuraram impor sua fé pela espada,[11] pelo poder da manipulação retórica ou por meio de argumentos de lucro material. Todavia, a imposição se opõe diametralmente ao caráter básico da fé cristã, que no fundo é doação de si mesmo — a doação de Deus e a doação dos seres humanos — e não a imposição de si mesmo. Karl Barth, um grande teólogo protestante do século passado, expressa isso corretamente: em relação a não cristãos (e a colegas cristãos!), os seguidores de Cristo ocupam a posição de João Batista retratada no famoso quadro de Matthias Grünewald, a saber, aos pés da cruz com uma das mãos estendida simplesmente apontando para o Cristo crucificado.[12] Longe de impor a sabedoria da fé, eles nem sequer a oferecem como algo que eles mesmos doam: apropriadamente, eles se limitam a apontar para a sabedoria. Essa sabedoria se oferece a si mesma; alguns a aceitarão, e outros a recusarão.[13]

Segundo, uma testemunha não é um *comerciante* que vende. Profundamente emaranhados como estamos em trocas econômicas, vivemos numa cultura impregnada por atividades de compra e venda.[14] Muitas vezes tratamos as religiões e a sabedoria delas como mercadorias para compra e venda. Ainda que haja boas razões para remunerar sacerdotes, pastores e outros líderes religiosos, nem eles, nem os leigos não remunerados são vendedores de sabedoria — certamente não vendem sabedoria assim como bons professores não vendem conhecimento e bons médicos não vendem cura.[15] Trai-se a sabedoria quando ela é vendida e comprada, e não apenas, como argumentarei mais adiante, por ela ser fundamentalmente uma dádiva. Os vendedores são tentados a seduzir os compradores a efetuar a compra apresentando uma mercadoria sob medida para satisfazer os desejos do comprador; o ato da venda muitas vezes distorce a sabedoria e deixa nos compradores a amarga suspeita de terem sido abusados pelo vendedor. Os compradores, em contrapartida, escolhem e compram a quantidade maior ou menor que julgam adequada. Quando comprada ou vendida, a sabedoria tende não a moldar a vida das pessoas, mas, na melhor das hipóteses, a simplesmente satisfazer desejos preexistentes — provavelmente ela não criou nenhum deles, e a todos eles ela é subserviente. Tratada como mercadoria, a sabedoria se deteriora e se transforma numa técnica para ajudar a quem vive como lhe agrada, mesmo quando esse seu jeito de viver pode ser absolutamente insensato.[16]

Na melhor tradição cristã, a sabedoria é dispensada livremente. O profeta Isaías escreve: "Venham, todos vocês que estão com sede, venham às águas; e vocês que não possuem dinheiro algum, venham, comprem e comam! Venham, comprem vinho e leite sem dinheiro e sem custo" (Is 55.1). Jesus faz eco a essas palavras quando diz: "Venham a mim, todos os que estão cansados e sobrecarregados, e eu lhes darei descanso" (Mt 11.28). A sabedoria cristã trata fundamentalmente daquilo que Deus dispensa de graça e de graça, portanto, deve ser distribuído.[17] Uma boa testemunha resistirá à mercantilização da sabedoria.

Terceiro, como testemunhas, os cristãos não são meros *professores* que dão instruções. Um professor pode aprender alguma coisa que continua muito alheia à sua vida e depois transmiti-la a outros como informação útil (por exemplo, da maneira que um professor de matemática ensina trigonometria). Os cristãos, pelo contrário, devem testemunhar como quem não apenas fala de Cristo com palavras, mas também imita o comportamento dele e se entrega aos cuidados dele na vida e na morte. Quando testemunham, portanto, estão apontando para um estilo de vida que eles mesmos adotam. Consequentemente, quanto mais "habitados" forem pela sabedoria, tanto melhores serão na qualidade de compartilhadores dela.

Quarto, uma testemunha não é uma simples *parteira*. Sócrates, o grande mestre grego da sabedoria, via a si mesmo no papel de uma parteira. Sua tarefa era ajudar o parto da sabedoria da qual cada pessoa já estava grávida. Ele próprio era um fator incidental no processo da aquisição da sabedoria.[18] Segundo esse ponto de vista, se uma pessoa é suficientemente conscientizada, ela pode descobrir seu próprio caminho para a sabedoria, pois a sabedoria reside dentro dela.

Isso não se aplica a Cristo, nem a uma testemunha de Cristo. Cristo não ajuda alguém a descobrir a sabedoria oculta em sua própria alma; Cristo é a sabedoria.[19] Consequentemente, um seguidor de Cristo é uma testemunha de Cristo, cujo propósito é desviar de si mesmo a atenção de alguém e direcioná-la para Cristo — para a vida, morte e ressurreição da Palavra encarnada, que viveu em determinada época e em determinado lugar. Sócrates ajuda alguém a descobrir alguma coisa dentro de si mesmo, algo que se sabia, que tinha sido esquecido e precisava ser relembrado; contrastando com isso, uma testemunha de Cristo conta a uma pessoa algo que ocorreu fora dela mesma, algo sobre o qual essa pessoa precisa ser informada.[20] Assim, uma testemunha não só desvia o foco da atenção de si mesma, mas também o desvia da pessoa a quem ela está testemunhando; ela aponta para Cristo e para a sabedoria que ele foi e continua sendo.

O outro como recebedor

Os bons doadores respeitam a integridade dos recebedores. Há limites para o que os outros estão capacitados a receber ou estão dispostos a fazê-lo, limites que os doadores devem respeitar. Os cristãos devem compartilhar a sabedoria conforme lhes ensina a primeira carta de Pedro: dando uma explicação de sua esperança, "com mansidão e respeito" (1Pe 3.15-16).

É relativamente fácil respeitar os limites dos outros quando se trata de compartilhar pérolas de sabedoria. Os recebedores podem inserir esses fragmentos de sábios conselhos em suas próprias interpretações gerais da vida sem grandes rupturas. Muitas vezes, porém, o que é recebido assume um sabor diferente daquilo que é dado. Frango à moda tailandesa tem um sabor diferente daquele do frango num sanduíche com mostarda e maionese. De modo semelhante, uma pérola de sabedoria num "contexto" religioso indicará um gosto diferente quando usada com uma indumentária diferente. Falando de modo mais prosaico, os recebedores muitas vezes vão se apropriar com gratidão do que lhes é oferecido, mas o modificarão para adaptá-lo à sua interpretação geral da vida.

Dar aos outros o direito de receber o que querem e de fazer daquilo o que julgam adequado faz parte do respeito que os doadores mostram pelos recebedores. Há, porém, algum motivo de preocupação acerca do compartilhamento das próprias pérolas de sabedoria num ambiente de ritmo alucinado, alimentado pela cultura do *self-service*, na qual nos encontramos. Primeiro, os próprios doadores muitas vezes diluem sua sabedoria a fim de torná-la palatável para o maior número possível de recebedores. Segundo, os recebedores muitas vezes não engastam pérolas de sabedoria recém-adquiridas numa interpretação geral da vida. As pérolas continuam sendo fragmentos isolados de sabedoria que são usados quando convém e descartados quando não convém. Esse uso seletivo da sabedoria fora de contexto pode então contribuir para tornar mais viável um estilo de vida insensato — e esse não é certamente o objetivo do compartilhamento da sabedoria!

Compartilhar a sabedoria como um estilo de vida se torna ainda mais complicado. Os limites mais significativos em relação ao que os outros são capazes de receber são demarcados pelo seu medo de perder a própria identidade. Pois se eles aceitarem em demasia o que vem de "fora", sua recepção da sabedoria pode parecer uma indesejada desconstrução do seu verdadeiro eu. Receber Cristo como a sabedoria ou receber a fé como um estilo de vida pode parecer profundamente alienante para o potencial recebedor. Mas não é preciso dizer, num capítulo escrito por um cristão sobre o compartilhamento da sabedoria, que a adoção de um estilo cristão de vida *pode* ser, e *geralmente* é, sentida como um retorno à nossa própria identidade.

A tradição cristã sempre aceitou a real possibilidade de outros poderem ver como tolice total a mais alta sabedoria que ela indica. Um estilo de vida no qual a doação de si mesmo é louvada e o exercício do poder sobre os outros é suspeito para alguns parece loucura, não sabedoria.[21] O mesmo acontece com a ideia de que Jesus Cristo salva por meio de sua morte na cruz.[22] A sabedoria pode não parecer sábia à primeira vista. Para reconhecê-la *como* sabedoria, as pessoas precisam ter alguma afinidade com ela, isto é, precisam ter olhos para ver e ouvidos para ouvir, como diz o profeta Ezequiel (12.1-2).[23] É por isso que algumas importantes vertentes da tradição cristã sugerem que as pessoas só podem receber a sabedoria quando o Espírito de Deus cria nelas as condições certas para recebê-la.[24]

Note-se que em dois aspectos cruciais — no momento de dar e no momento de receber — não são os cristãos em si mesmos que fazem o trabalho mais importante no compartilhamento da sabedoria. Em última análise, eles não podem conferi-la, pois quem deve conferi-la é Cristo. E, em última análise, eles não podem levar outros a receber a sabedoria; o Espírito de Deus é que deve abrir os olhos das pessoas para que possam vê-la. Quando os cristãos agem da melhor maneira no compartilhamento da sabedoria, eles são canais pelos quais Deus a dispensa. O livro de Atos expressa com clareza essa ideia básica quando relata as primeiras conversões ao caminho de Cristo: não eram os apóstolos que convertiam as pessoas por meio de sua pregação, era *Deus* que ia acrescentando diariamente as pessoas à igreja (At 2.47).

O eu como recebedor

Quando compartilhamos a sabedoria de nossa tradição religiosa, devemos ter em mente que a pessoa a quem oferecemos a sabedoria é também um doador, não apenas um recebedor passivo. Como doadores, respeitamos os recebedores sendo também nós mesmos recebedores potenciais. Todavia, muitas pessoas religiosas acham difícil pensar em si mesmas na condição de quem recebe alguma coisa muito importante de pessoas de outras fés. No fim das contas, elas já estão abraçando o que provavelmente acreditam ser um — e até mesmo *o* — verdadeiro e salutar estilo de vida. Essa perspectiva certamente se aplica a muitos cristãos. Por acaso o evangelho de João não diz que Cristo é "o caminho, a verdade e a vida" (14.6)? E a epístola aos Colossenses não afirma que em Cristo estão "escondidos todos os tesouros da sabedoria e do conhecimento" (2.3)? Como, então, podem os cristãos receber de outros qualquer coisa significativa?

Essa dúvida sugere que receber sabedoria de outros seria impossível, quando isso de fato indiscutivelmente já aconteceu no passado! Não é nada difícil demonstrar que os cristãos receberam sabedoria de outros no passado, e continuam recebendo. Bastam aqui dois exemplos do passado distante. O primeiro é a apropriação por parte do cristianismo dos tesouros espirituais do judaísmo. Com algumas modificações menores, por exemplo, o Antigo Testamento cristão é a Bíblia hebraica, composta de textos que por si sós fazem parte das Sagradas Escrituras dos cristãos primitivos. Segundo, o contato inicial do cristianismo com a língua e a cultura dos gregos significou sua inevitável (embora geralmente não intencional) recepção da sabedoria grega.[25] Um rico vocabulário de fé entra na teologia e na vida litúrgica cotidiana dos cristãos a partir da tradição filosófica dos gregos (mesmo que termos filosóficos importantes tenham sido parcialmente transformados quando assumidos).[26] De fato, mais amplamente do que no contato do cristianismo com a antiga cultura grega, a fé cristã recebeu sabedoria sempre que o evangelho foi traduzido para outra língua e criou raízes num ambiente cultural diferente.[27]

Assim, como podem os cristãos, que acreditam que toda sabedoria reside em Jesus Cristo e dele emana, receber a sabedoria de outros? A resposta, embora nada óbvia, é simples, mesmo não sendo fácil perceber todas as suas implicações. Jesus Cristo é a Palavra encarnada — a sabedoria! — por intermédio da qual "todas as coisas foram feitas" e que é "a luz dos homens", como diz um dos mais influentes textos do Novo Testamento, o prólogo do evangelho de João (Jo 1.3-4). Fazendo eco ao texto de João, o pai da igreja primitiva Justino Mártir descreve a sabedoria dos filósofos gregos como "partes da Palavra" e "sementes de verdade".[28] Toda luz, onde quer que seja encontrada, é a luz da Palavra e, portanto, a luz de Cristo; toda sabedoria, quem quer que a expresse, é sabedoria de Cristo. Não pode ser de outra forma se *todas as coisas* passam a existir e existem por intermédio da Palavra que se encarnou em Cristo. Sem dúvida, trata-se de um enorme "se", um "se" que os não cristãos relutarão em aceitar. Mas em questão aqui estão as atitudes dos cristãos, não a plausibilidade para os não cristãos. Aceite-se a condição ("todas as coisas foram feitas" por intermédio de Cristo), e a consequência ("toda sabedoria é sabedoria de Cristo") segue inevitavelmente.

Mas os cristãos já têm Cristo, poderia objetar alguém. Por que aceitar o que quer que seja de outros, mesmo concedendo-se que eles têm "sementes" de sabedoria? Primeiro, há uma profundidade e uma amplitude em Cristo, a sabedoria, que permanecem sempre insondados por seus seguidores. Falando de um modo um pouco mais abstrato, o objeto da fé — Deus, que mora na luz inatingível — nunca está totalmente presente na consciência e na prática do crente, mesmo no caso dos mais iluminados, não apenas porque são criaturas finitas e Deus é o Criador infinito, mas porque são impulsionados por suas próprias necessidades e inclinações e moldados pelas situações particulares em que vivem. Segundo, juntamente com outros, os cristãos vivem no fluxo do tempo que apresenta aos seres humanos sempre novos desafios. Muitas vezes eles se veem desorientados e incertos acerca de como fazer a sabedoria de Cristo afetar novas situações; de como ser sábio no sempre mutante aqui e agora. Eles podem se considerar sábios, embora sejam, de fato, tolos. Por isso, aquilo que Paul Tillich chamou de "profetismo inverso"[29] é às vezes indispensável: os cristãos podem (e muitas vezes devem) receber de fora um desafio profético para alterar suas convicções e práticas de modo a viver no aqui e agora de uma forma consistente com a sabedoria que eles abraçam.[30]

Como sugere a relação entre "a Palavra" e "partes da Palavra", qualquer sabedoria que os cristãos recebam de outros deve repercutir as narrativas bíblicas acerca de Cristo. A compatibilidade entre essas multifacetadas narrativas e o inexaurível tesouro de significados é para os cristãos o critério que determina o que é sabedoria e o que não é, o que pode ser incluído e o que deve ser excluído. É óbvio que é possível desistir dessas narrativas — de fato, alguém pode passar a crer que seria tolice *não* desistir delas. Mas alguém que chega a essa conclusão já abandonou a fé cristã ou em troca de outro estilo de vida (por exemplo, o jainismo ou a filosofia de Nietzsche) ou em favor de uma relação com todos os estilos de vida do mesmo jeito que essa pessoa aborda um bufê de saladas: escolhendo o que lhe agrada e descartando o resto.

O compartilhamento da sabedoria: amor e perdão

Uma maneira de descrever o que sugeri na parte principal deste capítulo é dizer que o compartilhamento da sabedoria deve ser uma prática do amor ao próximo.

Quando compartilhamos a sabedoria, nós damos e recebemos, e o dar e o receber devem ser um exercício de amor. Jesus Cristo, a sabedoria, é a encarnação do amor de Deus pela humanidade, e ele resumiu "a lei e os profetas" e o "mandamento do amor" quando proferiu a Regra de Ouro: "Assim, em tudo, façam aos outros o que vocês querem que eles lhes façam" (Mt 7.12). Esse "em tudo" inclui o compartilhamento da sabedoria. O fato de o amor ao próximo definir como a sabedoria deve ser compartilhada significa que esse compartilhamento se harmoniza com o conteúdo do que é compartilhado.[31]

Como foi mencionado anteriormente, porém, no decurso dos séculos os cristãos algumas vezes compartilharam a sabedoria de maneiras diametralmente opostas às exigências da própria sabedoria por eles herdada — manipulando, compelindo e até mesmo assassinando.[32] De modo semelhante, os próprios cristãos sofreram muito com a sabedoria de outros que foi imposta a eles. Alegações de que mais cristãos foram perseguidos e mortos por causa de sua fé nos últimos cem anos do que durante todo o período anterior da história da igreja podem ser exageradas,[33] mas, segundo consta, as perseguições contra os cristãos sob os regimes de Lênin e Stalin na União Soviética e de Mao na China foram brutais e muito pesadas.[34]

Quando os seres humanos sofrem injustiças, como nessas relações entre cristãos e não cristãos, o perdão e o arrependimento se fazem necessários. É isso que a sabedoria cristã ensina. A injunção de perdoar pode parecer simplesmente uma "pérola" de sabedoria cristã. É isso, mas é também muito mais. É a postura definidora de Jesus Cristo, a sabedoria personificada, e um pilar central do estilo de vida cristão.[35]

Peço permissão para mencionar os elementos-chave do perdão e relacioná-los com a injustiça que acontece quando cristãos e adeptos de outras religiões compartilham a sabedoria inadequadamente. O perdão em si é como um presente. E, exatamente como um presente deve ser recebido para ser verdadeiramente dado, assim também deve ser com o perdão. Recebemos o perdão por meio do arrependimento: pela identificação de nossos atos dignos de objeção como erros, pela angústia que nos causa a ofensa feita e pela determinação de corrigir nossos modos de proceder. É crucial que os cristãos examinem honestamente o modo pelo qual eles compartilharam sua sabedoria no passado, se vejam numa luz apropriada — purifiquem sua memória, como disse o papa João Paulo II[36] — e, quando apropriado, admitam os erros e corrijam seus modos. É óbvio que bem procederiam os não cristãos fazendo a mesma coisa. Entretanto, em casos de ofensas mútuas, a sabedoria cristã diz que o arrependimento de uma parte não depende do arrependimento da outra parte. Se nós nos ofendemos mutuamente, eu preciso me arrepender, independentemente de você se arrepender ou não.

Mais radicalmente ainda, a sabedoria cristã ensina que o perdão em si, e não apenas o arrependimento, nem sequer depende do arrependimento do ofensor — uma noção que pressiona os limites do que outras tradições poderiam estar dispostas ou capacitadas para receber da tradição cristã. Os seres humanos foram reconciliados com Deus em Cristo sem que fosse considerado o arrependimento deles. "Cristo morreu pelos ímpios" — *todos* os ímpios — escreve o apóstolo Paulo (Rm 5.6). Da mesma forma, os seguidores de Cristo devem perdoar sem levar em conta o arrependimento do ofensor. Nós concedemos a dádiva do perdão apropriadamente não como uma recompensa pelo arrependimento, mas na esperança de que a dádiva em si ajude o ofensor a recebê-la por meio do arrependimento. Perdoar e compartilhar a sabedoria são semelhantes neste aspecto importante: são formas de presentear. Quem dá um presente sempre age primeiro — e depois aguarda com ansiedade para ver se quem foi presenteado o recebe livremente.

Por que o perdão vem primeiro e depois o arrependimento? Porque o objetivo do perdão não é simplesmente aliviar o peso psicológico do ofensor, nem mesmo simplesmente dissipar o conflito, mas sim trazer o ofensor de volta para o bem e, no fim, restaurar a comunhão entre o ofensor e o ofendido. Os que seguem Cristo, escreve Martinho Lutero,

> se angustiam mais pelo pecado de seus ofensores do que pela perda ou ofensa que sofreram. E eles assim se comportam a fim de poderem resgatar os ofensores do seu pecado em vez de vingar as ofensas que eles mesmos sofreram. Por isso, descartam o padrão de sua honradez e assumem o padrão dos outros, orando pelos seus perseguidores, abençoando quem amaldiçoa, fazendo o bem aos malfeitores, preparando-se para pagar a pena e satisfazer seus próprios inimigos a fim de que eles possam ser salvos. Esse é o evangelho e o exemplo de Cristo.[37]

Quando cristãos são ofendidos no processo do compartilhamento da sabedoria — ou mais amplamente, em qualquer encontro com outros —, eles devem perdoar. Perdoar significa fazer duas coisas ao mesmo tempo: primeiro, é identificar uma ofensa sofrida *como* ofensa. Perdoar não é negar ou mesmo ignorar a ofensa, mas sim condená-la. Não há perdão sem condenação. Mas se a condenação é um pressuposto do perdão, a base do perdão é algo diferente. Assim, segundo, perdoar é não permitir que a ofensa seja contabilizada contra o ofensor. Ele merece punição, mas recebe o oposto dela. Recebe graça.

Uma vez que o perdão reside no âmago da sabedoria cristã, como a citação de Lutero feita acima habilmente expressa, para os cristãos recusar-se a perdoar não é apenas deixar de reparar um curto-circuito no compartilhamento da sabedoria: é contradizer a própria sabedoria. Perdoar é compartilhar sabedoria — talvez seja até a maneira mais eficaz de fazer isso.

Compartilhar a sabedoria: grandes conflitos, mesquinhas esperanças

Para concluir, vamos retornar aos grandes conflitos e às mesquinhas esperanças. Como deveríamos compartilhar a sabedoria de modo a não reforçar conflitos religiosos, mas sim ajudar a sustentar e promover a paz? Precisamos resistir à tentação de "ajudar" a sabedoria a ganhar espaço na vida de pessoas manipulando-as ou forçando-as a abraçá-la. De modo semelhante, precisamos resistir ao engodo de nos sentirmos orgulhosamente apenas como dispensadores de sabedoria em vez de também nos considerarmos recebedores dela — e recebedores de fontes prováveis assim como de fontes improváveis. Se cedemos a essas tendências, vamos acrescentar conflitos em vez de preparar o solo onde a fé pode ajudar a resolvê-los. De uma perspectiva cristã, todos os nossos esforços para compartilhar a sabedoria deveriam concentrar-se na disposição de permitir que a sabedoria molde a nossa vida — inclusive tornando-nos dispostos tanto ao arrependimento como ao perdão — e se mostre com todos os seus atrativos, com todas as suas razões e todas as suas utilidades. Precisamos confiar que ela se tornará abraçável para os outros, se é que ela vai mesmo ser abraçada. Dessa maneira, como compartilhadores da sabedoria nós honramos tanto o poder dela como a integridade de seus potenciais recebedores.

Como devemos compartilhar a sabedoria de modo a não alimentar mesquinhas esperanças, mas, em vez disso, ajudar as pessoas a se conectarem de modo significativo com comunidades — grandes e pequenas — e com a fonte e o objetivo do universo? Precisamos resistir à tentação de "embalar" a sabedoria religiosa na forma de belas "pérolas" que alguém pode recolher e engastar num fatídico projeto de levar uma vida apenas experiencialmente satisfatória, uma tendência dominante sobretudo em culturas moldadas marcadamente por processos de globalização. Se fizéssemos isso, a sabedoria estaria a serviço da loucura. De uma perspectiva cristã, o compartilhamento da sabedoria religiosa só faz sentido se ela puder se posicionar contra as múltiplas manifestações de ensimesmamento da parte dos doadores bem como dos recebedores, e puder conectá-los com o que, no fim das contas, é importante: Deus, a quem devemos amar com todo o nosso ser, e o próximo, a quem devemos amar como a nós mesmos.

7
Engajamento público

Religiões prósperas

O mundo sempre foi um lugar muito religioso e, pelo que tudo indica, assim continuará sendo no futuro que se pode prever. Mas, como observei acima, não foi isso que alguns figurões da modernidade europeia presumiram. Eles pensavam que a religião, de um modo ou de outro, "definharia até morrer", usando a expressão mais comumente empregada pela tradição marxista para descrever o desaparecimento do estado na sociedade comunista.[1] A religião é irracional, prosseguia o raciocínio. Diante da razão, ela empreenderá uma fuga, exatamente como fogem as trevas da noite antes do raiar do novo dia.[2] A religião é um epifenômeno. No fim das contas, ela não causa nada, não explica nada. De fato, outras coisas, como a pobreza, a fraqueza e a opressão, causam e explicam a religião.[3] Tão logo o povo, armado com o conhecimento e o avanço tecnológico, tomar nas próprias mãos o seu destino, a religião desaparecerá. Esse é, muito pelo alto, o conteúdo da assim chamada tese da secularização — pelo menos no que diz respeito à continuação de crenças e práticas religiosas.

Todavia, a tese da secularização se mostrou equivocada. Ou melhor, ela se mostrou apenas parcialmente certa, e isso apenas num conjunto circunscrito de sociedades: aquelas da Europa ocidental e num período particular da história. Mesmo nessas sociedades, a religião não definhou totalmente até morrer, mas ela exerce uma influência significativamente menor hoje do que exercia um século atrás. Mas, contrariando todas as expectativas, o resto do mundo não parece estar seguindo o padrão da Europa ocidental.[4] Como acertadamente observou Charles Taylor, agora está claro que já não podemos falar de uma única modernidade que começou na Europa e se alastrou pelo resto do mundo, levando a secularização na sua esteira. Há muitas maneiras não ocidentais de se modernizar. Seguindo Shmuel Eisenstadt,[5] Taylor fala de "múltiplas modernidades".[6] Na maioria delas, o progresso econômico, os avanços tecnológicos e o aumento e a difusão do conhecimento sentam-se muito confortavelmente ao lado de prósperas religiões.

Numa escala mundial, a perspectiva geral de vida que cresce mais rapidamente não é o humanismo secular. Se um século atrás o humanismo secular parecia ser a onda do futuro, isso em parte é porque em muitos lugares ele era imposto pelo autoritarismo de governos totalitários — na União Soviética e em países asiáticos, na China e alguns países do sudeste da Ásia. Ali, o humanismo secular funcionou como uma paródia de sua identidade originalmente concebida: em nome da liberdade — liberdade da ignorância e da opressão — o humanismo secular foi imposto como uma ideologia inquestionável para legitimar a opressão numa escala maior do que a história jamais viu.

De fato, as visões de mundo que crescem mais rapidamente hoje são religiosas:[7] o islamismo e o cristianismo. E, na maioria das vezes, elas são propagadas não por serem impostas de cima para baixo, mas por uma onda de entusiasmo para transmitir a fé e uma sede de recebê-la. Por trás da difusão do cristianismo — por trás do fato de que o cristianismo hoje é predominantemente uma religião não ocidental com mais de dois bilhões de adeptos, e crescendo sobretudo por meio da conversão — não está nem o poder de estados, nem o poder de centros econômicos, nem o poder da mídia ou das elites do conhecimento. Os estudiosos do cristianismo mundial parecem unânimes ao concordar que as massas de crentes são em si mesmas os agentes mais importantes de sua difusão.[8]

Como indica a menção do cristianismo e do islamismo, o mundo não é simplesmente um lugar religioso. É um lugar religioso *diversificado*. Além dessas duas maiores religiões de crescimento mais rápido, há outras relativamente menores que continuam prosperando, sendo o budismo um ótimo exemplo disso. Mais ainda, no seio do cristianismo e do islamismo há muitos movimentos variados, às vezes até mesmo totalmente discordantes. Finalmente, o próprio humanismo secular em suas diversas formas também faz parte da diversidade religiosa no sentido de que tem em comum com outras religiões uma característica importante: ele abrange uma perspectiva geral de vida (particularmente algumas de suas formas influentes, como, por exemplo, o marxismo).

Diversidade religiosa

Uma mudança social importante está em andamento nas sociedades ocidentais em relação à religião. Pouco tempo atrás, as sociedades ocidentais eram até certo ponto religiosamente homogêneas. Durante séculos, elas foram predominantemente cristãs. É óbvio que sempre houve uma pequena mas significativa presença de judeus, e as relações com eles variaram da explícita e às vezes fatal hostilidade (como na Alemanha nazista) à tolerância e à cordialidade (como nos Estados Unidos após a Segunda Guerra Mundial). E, durante séculos, a própria comunidade ocidental esteve dividida, ou, no jargão sociológico, internamente diferenciada. Católicos, protestantes, luteranos, reformados, anabatistas, episcopalianos, metodistas, batistas, pentecostais e adventistas do sétimo dia coexistiram, muitas vezes competindo para ter mais adeptos e influência social. E, no entanto, com exceção dos judeus, uma cultura religiosa compartilhada os unia.

Lentamente, mas de modo estável, o espaço da cultura religiosa comum vai diminuindo. Tome-se o exemplo dos Estados Unidos: essa nação conta com uma robusta presença cristã, o que não é típico do resto do mundo ocidental. Embora o cristianismo ainda seja de longe a religião predominante aqui, outras religiões também têm uma presença significativa. Além dos aproximadamente 5,2 milhões de judeus e cerca de 31,6 milhões de cidadãos sem religião, há cerca de 2,5 milhões de muçulmanos, talvez 2,1 milhões de budistas e 1,2 milhão de hindus, para mencionar somente as fés com mais adeptos.[9] Na Europa também se constata o crescimento de religiões não cristãs, especialmente do islamismo. No mundo ocidental, num futuro previsível as religiões não cristãs continuarão crescendo tanto em termos absolutos como em termos relativos.

Essas cifras não são significativas apenas como indicadores da vitalidade das religiões. São também indicadores de sua potencial influência política. Os muçulmanos, por exemplo, são suficientemente numerosos para constituírem uma força política significativa, especialmente na Europa.[10] Além disso, eles e outros grupos religiosos têm força social bem como vontade de se fazer ouvir e ver seus interesses levados a sério. No Ocidente, é provável que os espaços sociais religiosamente pluralistas provoquem o surgimento de atores e bases políticas religiosamente pluralistas cada vez maiores.

O local de trabalho é um bom lugar para a observação do crescimento significativo da pluralidade religiosa. Em termos de diversidade religiosa, o ambiente de trabalho é quase uma réplica exata, embora um tanto menor, da cultura mais ampla. Mas não se trata apenas do fato de que religiões diversas são representadas. Os crentes também estão cada vez mais dispostos a introduzir suas preocupações religiosas no escritório ou no chão da fábrica. Antes o que costumava acontecer era que os trabalhadores penduravam sua religião junto com o casaco no cabide da entrada. Em casa, a religião era importante; no trabalho, ela ficava ociosa. Esse já não é mais o caso. Para muitas pessoas, a religião tem algo a dizer acerca de todos os aspectos da vida, incluindo o trabalho. De fato, alguns deles são excelentes profissionais precisamente porque são devotados à religião.[11] Mas se a religião tem acesso permitido no escritório ou na fábrica, muitas religiões se apresentarão — talvez todas as que são representadas entre os empregados. Isso leva a interessantes perguntas; por exemplo, como organizar um espaço de trabalho que seja igualmente propício para todas as religiões? A diversidade religiosa no local de trabalho está emergindo como uma questão importante análoga à da diversidade de raça ou de gênero.

A diversidade religiosa de países europeus reflete a diversidade religiosa no mundo como um todo. No nível das nações individuais, a diversidade religiosa não é, obviamente, um fenômeno ocidental. Em certo sentido, é algo recente no Ocidente. Alguns países não ocidentais, como a Índia, conviveram durante séculos com o pluralismo religioso.[12] Outros tendem a tornar-se cada vez mais pluralistas, com várias religiões — principalmente o cristianismo e o islamismo — competindo para fazer adeptos, ter poder social e exercer influência política. Nas esferas nacional e global, a diversidade religiosa continuará sendo uma questão importante nos anos futuros. Um anseio modernista por um mundo secular está fadado ao desapontamento, exatamente como a saudade de uma "Europa cristã"[13] ou de uma "América cristã"[14] está fadada a continuar sendo só isso: uma insatisfeita nostalgia.

Religião na democracia liberal

A democracia liberal, um projeto político compartilhado tanto pelos "conservadores" como pelos "progressistas", surgiu no Ocidente como uma tentativa de acolher diversas perspectivas religiosas de vida no seio de um único sistema de governo.

É democracia porque basicamente a governança está nas mãos de cidadãos adultos, e cada um deles tem voz igual. É liberal porque suas duas ideias-chave, além da igual proteção perante a lei, são (1) a liberdade de cada um viver de acordo com sua interpretação pessoal da vida (ou sem uma interpretação definida), e (2) a neutralidade do estado em relação a todas essas perspectivas de vida.

Num ensaio intitulado "O papel da religião na decisão e discussão de questões políticas", Nicholas Wolterstorff observa uma difusa, embora não definidora, característica das democracias liberais. Em debates e decisões referentes a questões políticas, os cidadãos não devem basear suas posições em convicções religiosas derivadas explicitamente da revelação divina (da assim chamada revelação positiva).[15] Em vez disso,

> quando se trata dessas atividades, eles devem deixar suas convicções religiosas na ociosidade. Devem basear suas decisões políticas e seus debates políticos na arena pública nos princípios emanados por alguma fonte *independente de* toda e qualquer perspectiva religiosa que se constate na sociedade.[16]

Wolterstorff também observa que aqueles que defendem essa ociosidade religiosa em questões públicas muitas vezes interpretam a neutralidade do estado em relação a todas as religiões como a separação de igreja e estado: o famoso "muro de separação".[17]

Mas, para muitas pessoas religiosas, é parte integrante de seu compromisso religioso basear suas convicções sobre questões públicas em razões religiosas — na Torá, nos ensinamentos do Antigo e do Novo Testamento, ou no Alcorão, por exemplo. Como podem elas se sentir livres para viver da forma que consideram adequada quando não lhes é permitido introduzir razões religiosas em debates públicos e em consequentes decisões? Para essas pessoas, o liberalismo concebido dessa maneira é iliberal. Ele impede que elas conduzam a vida de acordo com o que a fé que abraçam as estimula a fazer.[18]

Quando a religião deixa a esfera pública — ou dela é expulsa —, a esfera pública não fica vazia. Pelo contrário, ela é tomada por um fenômeno difuso chamado secularismo. Hoje no Ocidente (ao contrário do que aconteceu na União Soviética do século passado), o secularismo não é, a rigor, uma ideologia. É antes um conjunto de valores relacionados e de alegações de verdades em parte seletivamente herdadas da tradição, em parte geradas pelo mercado e em parte derivadas das ciências duras. O mercado exalta a preferência pessoal como valor supremo, e as ciências duras apresentam explicações usando causalidades do mundo físico como a única verdade. Estando as religiões ausentes da esfera pública, um secularismo desse tipo se torna a perspectiva geral. Meu ponto aqui não é afirmar que o secularismo não seja admissível e respeitável como tal, mas sim dizer que, excluindo as religiões da tomada de decisões e impondo a separação de igreja e estado, o secularismo acaba sendo a perspectiva geral *favorecida* — o que é claramente uma injustiça contra quem adota uma religião.

Como alternativa, Wolterstorff sugere uma forma de democracia liberal descrita por ele como "consociável". Ela tem duas características principais. Primeiro, "ela repudia a busca de uma fonte independente e não estabelece nenhuma restrição ao uso da razão religiosa. E, segundo, ela interpreta a exigência de neutralidade de que o estado deve ser neutro no que se refere a perspectivas religiosas e outras perspectivas gerais da sociedade, exigindo *imparcialidade* em vez de *separação*".[19] "O que une esses dois temas", continua Wolterstorff, "é que, nos dois pontos, a pessoa que adota a posição consociável deseja conceder aos cidadãos, independentemente da religião deles, o máximo de liberdade possível para que conduzam a vida como lhes aprouver."[20]

O que também une esses dois temas é a defesa de "uma política de comunidades múltiplas".[21] O liberal que impede à religião o acesso à esfera pública e defende a separação de igreja e estado se agarra às "políticas de uma comunidade com perspectivas compartilhadas".[22] Mas as nações ocidentais já não são comunidades desse tipo, se é que um dia realmente foram. São comunidades compostas de adeptos de múltiplas religiões e perspectivas de vida. Num sistema político que se considera liberal, cada uma delas deve ter o direito de falar na arena pública tendo sua própria voz.

Será que as comunidades religiosas apoiarão um sistema político no qual elas possam falar e ter sua própria voz na arena pública e no qual o estado se relaciona com todas as comunidades de modo imparcial? Em outros textos eu desenvolvi a argumentação de que o monoteísmo das fés abraâmicas de fato favorece organizações políticas pluralistas que a democracia liberal, como entendida por Wolterstorff, representa. Basicamente, o esqueleto mínimo da argumentação expressa o seguinte:

1. Uma vez que existe um único Deus, todas as pessoas se relacionam com esse Deus em termos iguais.
2. O mandamento central desse Deus único é amar o próximo — tratar os outros como nós gostaríamos que eles nos tratassem, segundo a expressão da Regra de Ouro.
3. Não podemos exigir para nós e para o nosso grupo nenhum direito que não estamos dispostos a conceder aos outros.
4. Seja como postura do coração, seja como prática externa, a religião não pode ser imposta.[23]

Aceitando essas quatro proposições, você tem boas razões para apoiar o pluralismo como projeto político.

Será que as comunidades religiosas estarão de fato dispostas a abraçar um projeto político dessa natureza? Isso depende de muitos fatores. É mais provável que o façam como minorias, que estão interessadas em ter a própria voz ouvida. Se uma delas constitui uma maioria, ela pode resistir ao pluralismo como projeto político se seu interesse principal for a manutenção de um *status* privilegiado. Mas, se ela estiver disposta a seguir as claras implicações de suas convicções básicas teológicas e morais, ela abraçará o pluralismo como projeto político. E com certeza, a menos que se trate de comunidades religiosas altamente secularizadas, a maioria delas tenderá a apoiar esse tipo de sistema político mais facilmente do que uma comunidade que é implicitamente secular e, portanto, favorece uma perspectiva de vida que difere da sua. Por certo, algumas religiões lutarão para serem favorecidas pelo estado. Mas, fazendo isso, elas em princípio não diferem do secularismo atual ou do secularismo que continuasse sob a proposta de um governo "consociável". Há controles legais contra o favorecimento de uma perspectiva de vida em detrimento de outras, e todos os atores terão de encarar as exigências morais de justiça e imparcialidade.

A democracia liberal, o tipo que pretendia excluir da vida pública as convicções de religiões particulares, emergiu na esteira das guerras religiosas europeias do século 17. Grupos entravam em conflito em parte porque tinham diferentes perspectivas de vida. Para eliminar a causa do conflito, a democracia liberal disse que as perspectivas religiosas dos protagonistas não deveriam mais fazer parte de seus contatos públicos. Mas se nós tivermos de conviver com uma política de comunidades múltiplas que trazem suas perspectivas religiosas para a mesa comum, como sugere Wolterstorff, será que os choques violentos não vão voltar? Nessas condições, existe uma forma de evitar o retorno do conflito religioso, até mesmo de guerras religiosas?

Uma base comum

Uma forma de evitar choques causados por perspectivas religiosas particulares seria sugerir que todas as religiões são fundamentalmente iguais. Na superfície, as diferenças entre elas são óbvias — desde o código de vestuário até arcanos pontos de doutrina. Mas, nesta visão, todas essas diferenças são uma casca exterior contendo a mesma semente. "As lâmpadas são diferentes, mas a luz é a mesma", disse um velho sábio muçulmano,[24] conferindo poeticidade a essa concepção das relações entre as religiões. Os proponentes contemporâneos dessa ideia a denominaram "pluralista".[25]

A concepção pluralista das relações entre as religiões se encaixa bastante bem no papel atribuído à religião pela democracia liberal segundo o entendimento de hoje. Exatamente como a democracia liberal relega perspectivas religiosas particulares à esfera privada, assim também a explicação pluralista das relações entre as religiões as relega à condição de características acidentais de determinada cultura. Nos dois casos, a particularidade se torna ociosa: no caso da democracia liberal, sendo deixada para trás em benefício de uma "fonte independente" universalmente acessível; e no caso da explicação pluralista das religiões, vendo-se além das particularidades religiosas a "luz comum" contida em todas elas. Mais precisamente, nos dois casos as particularidades religiosas serão aceitáveis na medida em que elas forem um exemplo concreto de algo mais abrangente: a razão pública, na democracia liberal, e o âmago da fé religiosa genérica, na explicação pluralista.

Mas a concepção pluralista das relações entre religiões é incoerente.[26] Não quero aqui afirmar que ela nunca consiga realizar sua promessa de incluir todo mundo em termos de igualdade, ainda que isso também seja verdade. Algumas religiões sempre acabam excluídas, principalmente porque os ensinamentos e práticas de religiões concretas não apenas são diferentes, mas às vezes totalmente contraditórios e teimosamente se recusam a permitir que sejam interpretados como instâncias de uma igualdade subjacente. Podemos expandir o círculo das religiões incluídas, mas não podemos evitar a exclusão — a menos que se declare de antemão que todas as religiões são aceitáveis. A meu ver, os pluralistas *corretamente* excluem algumas delas; caso contrário, acabaríamos tendo de afirmar indiscriminadamente tudo e qualquer coisa. Seja como for, os pluralistas não devem fingir que superaram o exclusivismo religioso.

O principal problema da concepção pluralista das relações entre religiões é sua tentativa de reduzir a diversidade religiosa — isto é, a diversidade que é aceitável em seus próprios termos — a uma igualdade subjacente. Ela oferece uma estrutura mais abrangente do que qualquer outra na qual cada religião e todas as religiões em conjunto se situam e da qual elas são transformadas em exemplos culturalmente específicos. Mas essas estruturas sempre colocam à força qualquer religião particular num molde preestabelecido, o que é muito mais problemático porque, para muitos cidadãos religiosos, *sua religião em si é a estrutura mais abrangente para a vida e o modo de pensar*. Tentativas de reduzir o que é importante em diferentes religiões à mesma base comum estão fadadas a serem sentidas como um desrespeito a cada religião em sua particularidade.

As religiões simplesmente não têm uma base comum — crucial alegação essa que aqui apresento sem defendê-la. Cada uma é composta por um conjunto de vagamente relacionados rituais, práticas e reivindicações metafísicas, históricas e morais da verdade. Entre religiões diferentes, esses rituais, práticas e reivindicações em parte se sobrepõem (por exemplo, os muçulmanos e os cristãos acreditam num único Deus) e em parte diferem entre si (os muçulmanos praticam abluções rituais antes de orar, por exemplo, e os cristãos não), e são em parte mutuamente contraditórios (a maioria dos muçulmanos levanta objeções à alegação de que Jesus morreu na cruz).

Além disso, não há nenhuma razão para pensar que as sobreposições, diferenças e discordâncias serão no futuro as mesmas que ocorreram no passado. As religiões são dinâmicas, não estáticas. Elas se desenvolvem não apenas conectando-se com outras esferas da vida, tais como condições econômicas ou avanços tecnológicos, mas também se desenvolvem numa interação mútua entre si (e isso acontece especialmente num mundo globalizado).[27] Para continuar com o exemplo do cristianismo e o islamismo, podemos delinear a história de seus contatos como uma história de mutantes convergências e divergências. Durante séculos, por exemplo, foi inconteste que muçulmanos e cristãos acreditam no mesmo Deus; no início do século 21, isso se tornou uma questão altamente contenciosa.[28] Também, sempre existiu e ainda existe um toma lá dá cá entre eles, às vezes desencadeado por hostilidades e às vezes facilitado pela amizade dos seus adeptos.

A natureza dinâmica de cada religião e as superposições entre elas justificam alguma razão para a esperança de que as perspectivas de diferentes pessoas de fé não precisem sempre colidir em vão, e que, quando as perspectivas realmente colidirem, as pessoas que as defendem não precisem mergulhar numa violência interminável. Mas isso é uma esperança; isso é uma possibilidade. O que seria preciso para tornar isso uma realidade? O que seria preciso para que as religiões não apenas preservassem suas diferenças, mas trouxessem a sabedoria de suas próprias tradições para a esfera de decisões e debates públicos? Como seria fazer isso e, contudo, viver em paz no seio de uma única estrutura democrática na qual a lei do lugar tratasse todos os membros de todas as religiões igualmente, e o estado se relacionasse com todas as comunidades religiosas com imparcialidade?

Falar tendo a própria voz

Sugeri que cada pessoa deveria falar na arena pública tendo sua própria voz religiosa. Mas o que significa ter voz própria quando se fala? A resposta tem dois componentes, um que é comum a todas as religiões e o outro que é específico de cada uma.

Se pensarmos que todas as religiões são basicamente a mesma coisa, então o que realmente importa em cada uma será a mesma coisa em todas elas. Falar de modo autêntico como pessoa religiosa significaria expressar no próprio idioma pessoal aquilo que é comum a todas as pessoas religiosas.

As discordâncias que permanecem entre as pessoas seriam uma função de algo que não é religião. Mas eu já observei que essa explicação das relações entre religiões é implausível. As religiões são irredutivelmente distintas.

Uma visão alternativa do que significa falar na própria voz religiosa toma um rumo diferente e se apodera de diferenças de religião. O que é importante em cada tradição é o modo como ela difere das outras. Segundo essa visão, falar numa voz cristã seria realçar o que é específico do cristianismo e excluir o que é compartilhado por outras religiões como sendo comparativamente insignificante. Todas as vezes que pessoas de diferentes religiões participassem de um debate público, suas visões, se fossem informadas pela religião, se chocariam. Mas eu já sugeri que as religiões fazem mais do que simplesmente diferir entre si. Elas também concordam, e concordam em questões importantes.

As duas abordagens são ruins porque *elas abstraem o caráter concreto das próprias religiões*: uma concentrando-se no que alega ser o caráter igual em todas as religiões, e a outra concentrando-se no que é diferente. Elas não percebem precisamente o que é mais importante acerca da religião: *a configuração particular de seus elementos*, que podem sobrepor-se a alguns elementos de outras religiões, divergir deles ou contradizê-los.[29] Se alguém afirmasse a sua religião com base nesse tipo de particularidade, o que significaria falar na própria voz?

Expressar-se numa voz muçulmana, por exemplo, seria não expor uma variação sobre determinado tema comum a todas as religiões, nem fazer alegações exclusivamente muçulmanas distinguindo-se de todas as outras religiões; seria dar voz à fé muçulmana em sua concretude, independentemente de sua mensagem se sobrepor a, divergir de, ou contradizer o que estivessem dizendo pessoas falando numa voz cristã ou judaica ou em qualquer outra voz. (Isso é um eco do que sugeri no capítulo 5 sobre relações de postura mais geral de comunidades religiosas de fés diversas em relação à cultura.) Porque a verdade é importante, e porque o falso pluralismo de aprovadores tapinhas nas costas é desprezível e efêmero, adeptos de várias religiões se alegrarão nas superposições e se ocuparão das mútuas diferenças e incompatibilidades.

Mas se permanecerem diferenças e incompatibilidades apesar de significativas concordâncias, então o que evitará conflitos? Será que, se trouxerem suas perspectivas diversas e divergentes para a arena pública, as pessoas religiosas não vão mergulhar a comunidade política na violência? Para alguns, até mesmo levantar essa questão é sugerir que vozes religiosas devem ser sufocadas na esfera pública e que se deve adotar alguma forma de secularismo. Mas o secularismo não será uma solução. Trata-se apenas de outra perspectiva de vida que não está acima dos conflitos, mas participa deles como um dos atores, como claramente mostram os conflitos entre secularistas e muçulmanos na Europa.[30] Além disso, quando se trata de violência, o histórico do secularismo não é melhor que o das religiões. A maior parte da violência perpetrada no século 20, o mais violento século da história da humanidade, foi cometida em nome de causas seculares.

A única maneira de lidar com o problema de conflitos violentos entre diferentes perspectivas de vida — religiosas ou seculares — é concentrar-se nos recursos internos de cada perspectiva para o fomento da cultura da paz.[31] Para cada uma, esses recursos seriam diferentes, embora, repito, eles possam sobrepor-se de modo significativo.

No que se refere à fé cristã — fé que eu abraço e estudo, fé que é uma boa candidata por seu legado tão violento como qualquer outro —, desenvolver seus recursos para o fomento de uma cultura da paz significaria no mínimo duas coisas. A primeira diz respeito ao âmago da fé. Desde o início, no âmago da fé cristã estava alguma versão da alegação de que Deus amou o mundo pecaminoso e Cristo morreu pelos ímpios (Jo 3.16; Rm 5.6), e que os seguidores de Cristo devem amar seus inimigos tanto como amam a si mesmos. Amor não significa concordância e aprovação; significa benevolência e beneficência, em que pesem discordâncias e desaprovações. Uma combinação de clareza moral que não se exime de chamar o mal pelo seu nome próprio com uma profunda compaixão para com os malfeitores a ponto de predispor-se a dar a própria vida por eles foi uma das extraordinárias características do cristianismo dos primórdios.[32] Deve ser também a característica central do cristianismo contemporâneo.

O segundo ponto a considerar sobre falar numa voz cristã deriva do primeiro, e diz respeito à natureza da *identidade*.[33] Cada identidade isolada é definida por fronteiras. Algumas coisas são incluídas, outras são excluídas; se tudo fosse incluído ou se tudo fosse excluído, não existiria nada particular, o que equivale a dizer que não existiria nada absolutamente finito: nenhuma fronteira, nenhuma identidade, nenhuma existência finita. O mesmo se aplica às religiões. E, no entanto, isso não é tudo o que se deve dizer acerca de fronteiras. Embora necessárias, as fronteiras não devem ser impermeáveis. Em contatos com outros, as fronteiras devem sempre ser atravessadas, de fato, mesmo que minimamente. Pessoas e comunidades com identidades dinâmicas terão fronteiras firmes, mas permeáveis. Com essas fronteiras, os contatos com outros não servem apenas para afirmar nossa posição e reivindicar nosso território; eles são também ocasiões para aprender e ensinar, para enriquecer-se e enriquecer, para chegar a novos acordos e possivelmente reforçar os acordos anteriores, e para sonhar com novas possibilidades e explorar novos caminhos. Esse tipo de permeabilidade de comunidades e indivíduos religiosos quando eles se relacionam pressupõe uma atitude basicamente positiva para com o outro, uma atitude em sintonia com o mandamento de amar o próximo e, talvez de modo especial, de amar os inimigos.

Falar na voz da própria religião é falar a partir do centro da fé pessoal. Falar numa voz cristã é falar com base nestas duas convicções fundamentais: que Deus ama todo mundo, incluindo os transgressores, e que a identidade religiosa está circunscrita por fronteiras permeáveis. Qualquer outra coisa que se diga sobre qualquer tópico deve ser dito levando em conta essas convicções. Quando isso acontece, a voz que fala será propriamente cristã, mas poderia conter, mesmo assim, os ecos de muitas outras vozes, e muitas outras vozes repercutiriam com ela. É óbvio que, às vezes, a voz não encontrará nenhum eco, apenas contestação. Esse é o material de que são feitas boas discussões, tanto em contatos pessoais como na esfera pública.

Troca de presentes

Em 1779, Gotthold Ephraim Lessing publicou um livrinho intitulado *Natã, o sábio*. A obra foi um sucesso instantâneo. É uma peça ambientada na Jerusalém do século 12 acerca dos relacionamentos das três fés abraâmicas: o judaísmo, o cristianismo e o islamismo. Mas seu tema principal é o de presentear. O governante muçulmano de Jerusalém, o sultão Saladino, perdoa um jovem cavaleiro templário que em seguida resgata Resha, filha de um abastado judeu chamado Natã, que havia pessoalmente adotado Resha quando ela era uma bebê cristã que perdera os pais. Todos esses generosos gestos envolvendo representantes de diferentes religiões — e muito mais — têm um único objetivo: enfatizar que se requer *generosidade* para que judeus, cristãos e muçulmanos convivam em paz.

De fato, Lessing apresenta duas considerações acerca das fés abraâmicas, uma negativa e outra positiva. A negativa é que podemos sem riscos ignorar debates envolvendo alegações de verdades religiosas. Os adeptos de cada religião acreditam que a sua religião é verdadeira. Mas quando nós de fato as comparamos, não conseguimos saber qual é verdadeira ou não, sustenta Lessing. E se não é possível distinguir a verdade das religiões de sua falsidade, somente o orgulho pode levar adeptos de determinada religião a acreditar que "somente o Deus deles é o Deus verdadeiro" e a tentar impor o "Deus melhor ao mundo inteiro para o bem dele".[34]

O que deveriam eles fazer em vez de tentar persuadir uns aos outros da verdade superior de religião deles? Aqui está o modo como Lessing expressa seu ponto positivo. Ele está expresso na forma de uma declaração dirigida aos representantes do judaísmo, do cristianismo e do islamismo:

> Que cada um de vocês rivalize com os outros apenas em relação ao amor incorrupto, isento de preconceitos. Que cada um de vocês se esforce para mostrar o poder [de sua religião]. Venham em socorro desse poder com gentileza, com tolerância sincera, com caridade, com a mais leal submissão a Deus.[35]

Para Lessing, as religiões — ou pelo menos as religiões abraâmicas — são habilitadoras de amor incorrupto. O teste de sua fé é a capacidade de gerar esse amor, e é aqui que o ato de presentear entra em cena. As preocupações dos crentes deveriam ser dar aos outros o que eles necessitam e lhes proporciona prazer, e deixar em aberto a questão da verdade, para que ela seja decidida por um juiz imparcial com base no histórico de cada religião no fomento do amor.

Filho do Iluminismo — um dos *pais* do Iluminismo! —, Lessing pensava que poderia nitidamente separar a prática do amor da questão da verdade. Ele sentia que as alegações da verdade são disputadas, mas todos nós concordamos sobre o que é fazer um gesto de amor. Além disso, também acreditava que o fato de ser judeu, cristão ou muçulmano é um acessório dispensável para a mais básica e genérica natureza humana despojada de todas as particularidades de cultura e religião. Como verdade, as particularidades culturais e religiosas dividem; como amor, a natureza humana genérica une. Para uma pessoa nobre, não faria diferença ser judeu, cristão ou muçulmano; seria "suficiente [...] ser chamado ser humano".[36]

O problema é que não existe nenhum ser humano genérico e não existe nenhum amor genérico. Não sabemos nem o que é amor, nem o que significa ser humano fora das tradições — sobretudo religiosas — nas quais fomos criados e nas quais vivemos. Há maneiras judaicas de ser humano e de amar; há maneiras cristãs de ser humano e de amar; há maneiras muçulmanas de ser humano e de amar, e assim por diante. As várias maneiras de ser humano e de amar apresentadas por religiões divergentes não são idênticas, embora possam sobrepor-se de modo significativo.

Falando de outro modo, a condição de judeu e a condição de cristão, por exemplo, não são vestes de humanidade e de amor que se possam despir à vontade; elas são a matéria de uma humanidade particular e de um amor particular. E isso nos leva de volta à questão da verdade. As abrangentes perspectivas de vida, com suas alegações de verdade metafísica e moral, são o que confere conteúdo concreto ao que julgamos ser o significado de "amor" e "ser humano". Cada uma dessas religiões considera verdadeira sua própria visão do que significa ser humano em relação a quem os seres humanos de fato são. Cada uma faz uma alegação da verdade de validade universal. E, no entanto, cada uma faz essa alegação de um ponto de vista decididamente particular — e, consequentemente, todas se engajam em debates acerca do próprio sentido de humanidade e das melhores maneiras de levar uma vida humana.

Por si só, a troca de presentes de Lessing na prática do "amor incorrupto" é importante, mas insuficiente. Ela precisa ser suplementada pela troca de presentes *em busca da verdade e do mútuo entendimento*. No nível mais básico, as alegações de verdade de muitas religiões — particularmente as de fés abraâmicas — estão contidas nos seus textos sagrados. Minha sugestão é que as pessoas de fé pratiquem a "hospitalidade hermenêutica" em relação aos textos sagrados de cada fé e, agindo assim, troquem presentes.[37] Essas pessoas devem, cada uma, adentrar com simpatia nos esforços dos outros para interpretar os textos sagrados deles, e elas devem também ouvir como os outros as percebem como leitoras dos seus próprios textos. Esse tipo de hospitalidade não levará necessariamente a uma concordância na interpretação das Escrituras uns dos outros. E certamente não levará a uma concordância geral entre diferentes comunidades religiosas pela simples razão de que elas consideram textos distintos — embora algumas vezes se sobrepondo — como fonte de autoridade. Mas essas trocas hermenêuticas de presentes ajudarão as pessoas de fé a melhorar o entendimento dos seus próprios textos sagrados e dos textos sagrados dos outros, a ver-se uns aos outros como companheiros e não como combatentes na luta pela verdade, a respeitar mais a natureza humana uns dos outros e a praticar a beneficência mútua.

Em louvor da discordância

As duas formas de troca de presentes — a beneficência de Lessing e a minha hospitalidade hermenêutica — não eliminarão todas as discordâncias e todos os conflitos entre as várias comunidades religiosas. De fato, a eliminação de discordâncias e conflitos talvez nem seja sequer desejável. A vida pública sem discordâncias e conflitos é um sonho utópico cuja realização nas condições nada utópicas deste mundo causaria mais dano que bem.[38] Mas esse tipo de troca de presentes possibilita a negociação de discordâncias e conflitos em mútuo respeito e até contribui para um nível significativo de convergência e concordância. O ponto que importa é ajudá-los a discutir produtivamente como amigos, e não de modo destrutivo como inimigos.

Discussões contínuas obviamente não são um sucedâneo da ação. Não há como evitar a ação.[39] Mesmo quando discutimos, estamos agindo. Num sistema político democrático, uma forma importante de agir é fazendo uma votação. Discutimos, e depois votamos, e depois discutimos de novo — ou pelo menos é isso que fazem os cidadãos de democracias que funcionam bem e se distinguem pela civilidade. Não há motivo para pensar que os membros de comunidades religiosas diferentes não possam fazer o mesmo sem ter de deixar sua religião trancada em seu coração, em sua casa e em seu santuário.

Conclusão

O discurso do Cairo

No dia 4 de junho de 2009, o presidente Obama fez um discurso na Universidade do Cairo numa tentativa de redefinir as relações entre os Estados Unidos e as comunidades muçulmanas no início do seu mandato. Seu tema principal foram as profundas tensões entre eles e as guerras no Iraque e Afeganistão. Foi um discurso filosófico e moral, não simplesmente político e pragmático, no qual Obama sugeriu uma alternativa para o "choque de civilizações".

Uma convicção que perpassa o discurso do Cairo e de fato carrega todo o seu peso foi sinalizada logo no começo do discurso por uma breve menção autobiográfica:

> Eu sou cristão, mas meu pai veio de uma família queniana que inclui gerações de muçulmanos. Na infância, passei vários anos na Indonésia e ouvi o chamado do azan ao amanhecer e ao anoitecer. Como jovem adulto, trabalhei em comunidades de Chicago onde muita gente encontra dignidade e paz em sua fé muçulmana.[1]

Sua fé cristã, sugere o presidente, não apenas difere do islamismo; ela inclui uma apreciação pelo islamismo e contém algo da herança do islamismo. Sua identidade de fé como cristão é complexa, e é simultaneamente semelhante e dissemelhante à de um muçulmano.

O mesmo que acontece com sua experiência pessoal também acontece com comunidades e nações inteiras, sugeriu o presidente Obama. As consequências dessas complexas identidades sociais para as relações entre os Estados Unidos e comunidades muçulmanas são imensas. Essas relações não deveriam ser definidas simplesmente por "diferenças" culturais e religiosas, mas também por "sobreposições" e "princípios comuns". Para ilustrar os pontos em comum, no fim do discurso o presidente invocou uma norma que descreveu como sendo comum a todas as religiões: "que façamos aos outros o mesmo que gostaríamos que eles fizessem em relação a nós".[2] Esse princípio moral, afirmou o presidente Obama, "transcende nações e povos"; trata-se de "uma crença que não é nova; que não é negra, branca ou marrom; que não é cristã, muçulmana ou judaica".

Nas relações entre religiões, as diferenças bem como os pontos em comum são importantes. Se enxergamos apenas diferenças, vamos "conferir poder àqueles que semeiam o ódio em vez da paz e promovem conflitos em vez da cooperação". Se enxergamos apenas pontos em comum, teremos ou de nos conformar com os outros ou eles terão de se conformar conosco; mais provavelmente, distorceremos e desonraremos os outros e a nós mesmos. Só quando enxergamos e respeitamos os dois aspectos — inegáveis diferenças que conferem a comunidades um caráter peculiar *e* pontos em comum que as unem — seremos capazes de honrar cada uma delas e promover a viável coexistência de todas.

A aceitação das diferenças e dos pontos em comum entre religiões e civilizações por parte do presidente Obama se dirige contra aqueles que argumentam que, nos termos dele, "nós estamos fadados a discordar, e as civilizações estão condenadas a entrar em choque". Ele tinha em mente os seguidores de Samuel Huntington e sua famosa tese sobre o "choque de civilizações",³ que serviu como suporte ideológico para a guerra do presidente Bush contra o terror. Huntington argumentou que, no início do século 21, culturas e civilizações centradas na religião tomaram o lugar de ideologias como fonte de autoconhecimento e identificação. As civilizações diferem, e as diferenças de civilização, na visão das pessoas, são mais importantes do que as semelhanças. As civilizações, portanto, estão fadadas a entrar em choque.

A tese de Huntington é boa para a guerra, mas não para conviver em paz. Enquanto ele estava estendendo as mãos para comunidades muçulmanas do mundo todo, o presidente Obama sugeriu substituir o choque de civilizações pela visão da cooperação daqueles que são claramente diferentes e, contudo, têm muito em comum. Mas será que aquilo era a visão de um sonhador? Será que as religiões sabem cooperar dessa maneira? São capazes de compartilhar o mesmo espaço político e cooperar para o bem comum?

Fé e pluralismo político

Se Sayyid Qutb fala pelas religiões monoteístas — ou até mesmo pelo islamismo, a segunda religião mais numerosa do mundo (depois do cristianismo), com mais de 1,57 bilhão de adeptos⁴ —, então a visão pluralista de Obama é uma expressão da visão de um sonhador. A pluralidade religiosa e cultural é a inevitável realidade do nosso mundo globalizado, mas como projeto político o pluralismo está nesse caso condenado ao absoluto fracasso. Como discuti na Introdução, Qutb alinha as crenças no Deus único, numa única autoridade política e numa única lei moral universal — e defende o uso da força física para estabelecer o domínio do Deus único e da lei de Deus no mundo. Se Qutb expressou corretamente a lógica interna do monoteísmo, então o monoteísmo é claramente totalitário. Concedendo-se que os monoteísmos são religiões dominantes nas sociedades pluralistas e multirreligiosas da atualidade, a única opção viável seria então a exclusão secular da religião da esfera pública.

A exclusão da religião da esfera pública ensejaria claramente uma generalizada supressão religiosa, pois vai contra as convicções religiosas de muitas pessoas manter sua fé trancada na privacidade do coração, ou restringir sua influência às fronteiras de comunidades religiosas. Mas se Qutb expressa corretamente as implicações políticas do monoteísmo, então a alternativa à exclusão secular da religião da vida pública seria a saturação totalitária da vida pública com uma única religião — uma religião impondo com mão de ferro sua visão de uma vida boa a todo mundo. Assim, se Qutb está certo, as alternativas são ou a supressão religiosa de todas as religiões exceto uma, ou a supressão secular de todas as religiões — uma situação evidentemente injusta em ambos os casos.

Neste livro, tenho argumentado que uma interpretação plausível da fé cristã se opõe ao totalitarismo religioso e sustenta o pluralismo como projeto político. Uma argumentação semelhante é possível apresentar, e já foi apresentada, também da perspectiva de outras religiões, incluindo o islamismo.[5] (Repito: a posição de Qutb não é a posição islâmica; de fato, suas visões foram explicitamente condenadas por muitos muçulmanos e não representam a corrente principal do islamismo!) Aqui está o resumo da minha argumentação em contraste com o totalitarismo religioso de Qutb.

1. Todos os monoteístas concordam que não existe "nenhum deus exceto Deus". Esse não é apenas o princípio básico do islamismo; é a convicção monoteísta mais elementar. Qutb deriva dela uma filosofia política cuja melhor descrição é o totalitarismo religioso. Eu acredito que a fé num único Deus que ordena amar o próximo — que nos manda tratar os outros como gostaríamos que eles nos tratassem — implica a nossa aceitação do pluralismo como projeto político.
2. Que somente Deus é Deus significa para Qutb que toda autoridade dos seres humanos — sacerdotes,

políticos ou pessoas comuns — sobre outros é uma forma de idolatria. Eu acredito que a autoridade política — ou qualquer outra autoridade — não precisa necessariamente se opor a Deus. Crucial para os monoteístas não é rejeitar toda autoridade que não seja divina, mas dedicar lealdade suprema ao único Deus e não obedecer a nada que seja contrário aos mandamentos de Deus. Em termos bíblicos, é possível alguém aceitar ao mesmo tempo a alegação de que "É preciso obedecer antes a Deus do que aos homens!" (At 5.29) e de que "Todos devem sujeitar-se às autoridades governamentais" (Rm 13.1).
3. Segundo Qutb, a orientação a respeito de como conduzir a própria vida pessoal e como organizar a vida social provém somente de Deus. Eu acredito que, embora a revelação divina tenha decisiva importância, o entendimento humano das revelações de Deus é sempre limitado no sentido de que os seres humanos, incluindo todos os intérpretes da revelação, são falíveis e finitos. Além disso, ainda que a revelação divina afete todas as esferas da vida, ela deixa que muitos detalhes vitais fiquem desregulados. Uma vez que Deus é o Criador e, portanto, o Senhor de toda a realidade, há verdade, beleza e bondade em todas as culturas, e o conhecimento do que os seres humanos devem fazer pode provir de muitas fontes diferentes — incluindo da ciência, da filosofia e de outras religiões.
4. Qutb argumenta que a comunidade muçulmana é "o nome de um grupo de pessoas cujas maneiras, ideias e conceitos, preceitos e regras, valores e critérios são todos derivados da fonte islâmica".[6] Embora seja importante para a fé moldar todas as esferas da vida, eu acredito que "maneiras, ideias e conceitos, preceitos e regras, valores e critérios" que moldam uma comunidade devem apenas

ser *compatíveis* com a revelação divina em vez de serem todos derivados da revelação divina.

5. Na visão de Qutb, os verdadeiros seguidores de Deus são chamados a separar-se completamente de comunidades que mostram ignorância sobre a orientação divina. A meu ver, os verdadeiros seguidores de Deus são chamados a viver no mundo e a não serem do mundo (cf. Mc 16.15; Jo 17.14-16). Eles devem amar a Deus sobre todas as coisas e seguir Jesus Cristo como seu Senhor; essa é a diferença deles do resto do mundo, quer pensem e ajam da mesma maneira, quer de uma maneira semelhante, quer de uma maneira completamente diferente em relação a outros. O cristianismo não é uma "cultura" ou uma "civilização"; é um estilo de vida centrado em Cristo *em* muitas civilizações e culturas diferentes.

6. Uma vez que Deus é único e Criador, argumenta Qutb, a lei de Deus que regula a vida humana pessoal e social se aplica sempre e em toda parte. Embora eu concorde que as leis morais de Deus têm validade universal, acredito que elas podem ser impostas como as leis do país apenas por meio de processos democráticos, sem se oporem à vontade do povo.

7. Qutb escreve: "O principal dever do islamismo neste mundo é destituir a *Jahiliyyah* [ignorância da orientação divina] do comando dos homens, e tomar o comando nas próprias mãos e fazer vigorar o estilo particular de vida que é sua característica permanente".[7] Eu acredito que os cristãos não têm esse dever, e que de fato algo parecido com uma violenta "revolução cristã" seria injusto, desamoroso e contraproducente e, de qualquer maneira, profundamente não cristão.

8. Segundo Qutb, os verdadeiros crentes são chamados a testemunhar a fé segundo a qual não existe "nenhum deus exceto Deus" — uma fé que deve ser abraçada

livremente pois não cabe compulsão na religião. Eu concordo que a fé deve ser abraçada livremente e, portanto, deve ser oferecida às pessoas como uma dádiva, não imposta como uma lei. Exatamente por essa razão, qualquer forma de imposição de um sistema social ou de uma legislação supostamente baseada na revelação divina deve ser rejeitada. Afirmar a liberdade de religião é rejeitar toda forma de totalitarismo religioso e abraçar o pluralismo como projeto político.

Com esses oito pontos, espero ter dispensado suficiente atenção ao problema da coerção da fé — no plano teórico, é claro, não no plano prático. As fés que afirmam o pluralismo social do tipo que acabo de esboçar podem inserir-se como uma voz entre muitas na vida pública para promover sua própria visão da prosperidade humana e servir ao bem comum. Mais ainda, como sugeri no capítulo 4, judeus, cristãos e muçulmanos (bem como adeptos de outras religiões deste planeta) têm uma missão comum no mundo. Não se trata apenas de arregaçar as mangas e colaborar na contenção da implacável e crescente onda de miséria humana,[8] qualquer que seja a forma em que isso se apresente: epidemias, fome, violação de direitos ou poluição ambiental. A missão comum é também a de tornar aceitável na cultura contemporânea a noção de que os seres humanos só prosperarão quando o amor do prazer, uma força dominante e ativa da nossa cultura, der lugar ao prazer do amor. Diferentes religiões discordarão sobre como se pode fazer a transição do amor do prazer ao prazer do amor, e elas não concordarão totalmente entre si sobre o que significa de fato um amor realmente prazeroso. No entanto, juntas elas podem criar um clima no qual o amor do prazer é denunciado como vazio e no qual um robusto debate está acontecendo acerca da questão mais importante de todas: "O que constitui uma vida digna de ser chamada boa?".

Notas

Introdução

[1] *The Stillborn God: Religion, Politics, and the Modern West* (Nova York: Knopf, 2007), p. 309.
[2] Só para constar: o totalitarismo religioso não é a única forma de totalitarismo. De fato, todas as formas mais sanguinárias de totalitarismo durante os últimos cem anos — o nazismo, o stalinismo, o maoísmo — não tinham, de modo algum, natureza religiosa.
[3] Sobre Qutb, ver John L. Esposito, *The Future of Islam* (Oxford: Oxford University Press, 2010), p. 67-68.
[4] Sobre o reconstrucionismo cristão, ver John Pottenger, *Reaping the Whirlwind: Liberal Democracy and the Religious Axis* (Washington, DC: Georgetown University Press, 2007), p. 208-239.
[5] Para argumentos islâmicos a favor do pluralismo político, ver Feisal Abdul Rauf, *What's Right with Islam: A New Vision for Muslims and the West* (Nova York: HarperCollins, 2004).
[6] *Milestones* (Chicago: Kazi, 2007), p. 90.
[7] Idem, p. 2.
[8] Idem, p. 14.
[9] Idem, p. 89.
[10] No fim de *Milestones*, Qutb enfatiza que a luta fundamental no mundo de hoje é religiosa, e não econômica, política ou cultural. "A luta entre os crentes e seus inimigos é basicamente de crença, e não é de maneira alguma qualquer outra coisa. Os inimigos estão enfurecidos apenas por causa de sua fé, enfurecidos apenas por causa de sua crença. Essa não tem sido uma luta política, econômica ou racial. Tivesse ela qualquer dessas características, sua solução teria sido fácil; a solução de suas

dificuldades teria sido simples. Mas foi essencialmente uma luta entre crenças: ou a descrença ou a fé, ou a *Jahiliyyah* ou o islamismo" (idem, p. 110).
[11] Idem, p. 81.
[12] Um exemplo tirado do cristianismo seria Thomas Muntzer, um dos líderes da Guerra dos Camponeses travada na Alemanha em 1525.
[13] *Christ and Culture* (1956; reimpr., Nova York: HarperCollins, 2001 [publicado no Brasil como *Cristo e Cultura*, trad. Jovelino Pereira Ramos. Rio de Janeiro: Paz e Terra, 1967]).
[14] Sobre a relação entre o exclusivismo religioso da parte de cristãos e muçulmanos e a adoção do pluralismo como projeto político, ver Miroslav Volf, *Allah: A Christian Response* (San Francisco: HarperOne, 2011), cap. 12.

Capítulo 1

[1] *Twilight of the Idols and The Anti-Christ*, ed. Michael Tanner, trad. R. J. Hollingdale (1888; reimpr., Londres: Penguin, 2003 [publicados no Brasil como *Crepúsculo dos ídolos* e *O Anticristo e Ditirambos de Dionísio*, trad. Paulo César de Souza. São Paulo: Companhia das Letras, 2006, 2007]), p. 128.
[2] Para uma argumentação como essa, ver papa João Paulo II, *Evangelium Vitae* (1995), disponível em: <http://w2.vatican.va/content/john-paul-ii/pt/encyclicals/documents/hf_jp-ii_enc_25031995_evangelium-vitae.html>. Acesso em: 31 de mai. de 2016.
[3] Para uma argumentação como essa, ver Alexander Sanger, *Beyond Choice: Reproductive Freedom in the 21st Century* (Nova York: PublicAffairs, 2004).
[4] Sobre essa distinção, ver Friedrich Heiler, *Prayer: A Study in the History and Psychology of Religion* (1932; reimpr., Oxford: Oneworld, 1997), cap. 6.
[5] *The Reconstruction of Religious Thought in Islam* (Lahore: Sang-E-Meel, 1996), p. 111.
[6] Ver *Engaged Buddhism: Buddhist Liberation Movements in Asia*, ed. Christopher S. Queen e Sallie B. King (Albany: State University of New York Press, 1996).
[7] *The Gay Science*, trad. Walter Kaufmann (Nova York: Vintage, 1974 [publicado no Brasil como *A gaia ciência*, trad. Paulo César de Souza. São Paulo: Companhia das Letras, 2012]), p. 182.
[8] Sobre a idolatria como substituição, ver Moshe Halbertal e Avishai Margalit, *Idolatry*, trad. Naomi Goldbloom (Cambridge, MA: Harvard University Press, 1992), p. 40-44.
[9] Ver Joel Osteen, *Become a Better You: 7 Keys to Improving Your Life Every Day* (Nova York: Free Press, 2007 [publicado no Brasil como *O que há de melhor em você: Desenvolva seu potencial e realize seus maiores sonhos*, trad. Marcelo Barbão. Rio de Janeiro: Thomas Nelson Brasil, 2008]), p. 37.
[10] Ver Tomás de Aquino, *Suma Teológica*, 1ª e 2ª parte, 71.5, 72.6.
[11] *The Protestant Ethic and the Spirit of Capitalism*, trad. Talcott Parsons (1905; reimpr., Londres: Routledge, 2002 [publicado no Brasil como *A ética protestante e o "espírito" do capitalismo*, trad. José Marcos Mariani de Macedo. São

Paulo: Companhia das Letras, 2004]), p. 123. Ver também Miroslav Volf, *Captive to the Word of God: Engaging Scripture for Theological Reflection* (Grand Rapids: Eerdmans, 2010), cap. 5.

[12] Zygmunt Bauman, *Life in Fragments: Essays in Postmodern Morality* (Oxford: Blackwell, 1995 [publicado no Brasil como *Vida em fragmentos: Sobre a ética pós-moderna*, trad. Alexandre Vieira Verneck. Rio de Janeiro: Zahar, 2011]), p. 259-262.

[13] Para fascinantes, embora controversos, estudos sobre as tendências humanas a acatar ordens e desempenhar papéis na sociedade, ver Stanley Milgram, *Obedience to Authority: An Experimental View* (Nova York: Harper & Row, 1974), e Philip Zimbardo, "The Power and Pathology of Imprisonment", Cong. Rec.15, 25 de out. de 1971, disponível em: <http://pdf.prisonexp.org/congress.pdf>. Acesso em: 30 de mai. de 2016.

[14] Para uma argumentação de que, quando se perde a fé num Deus verdadeiro, o que vem em seguida não é o ateísmo, mas sim uma espécie de politeísmo, ver H. Richard Niebuhr, *Radical Monotheism and Western Culture with Supplementary Essays* (Londres: Faber and Faber, 1960), p. 31-38, 95-96.

[15] Ver Christian Scharen, *Faith as a Way of Life: A Vision for Pastoral Leadership* (Grand Rapids: Eerdmans, 2008), p. 14-16.

[16] "Towards a Critique of Hegel's *Philosophy of Right*", em *Karl Marx: Selected Writings*, ed. David McLellan (Oxford: Oxford University Press, 2000), p. 72.

[17] Ver Nicholas Wolterstorff, "The Role of Religion in Decision and Discussion of Political Issues", em *Religion in the Public Square: The Place of Religious Convictions in Political Debate*, ed. Robert Audi e Nicholas Wolterstorff (Lanham, MD: Rowman & Littlefield, 1997), p. 67-120.

[18] Para uma crítica da alegação de que os muçulmanos acreditam num deus que difere daquele dos cristãos (e que, portanto, eles se situam num mundo moral diferente, e a consequência disso é que devemos combatê-los em vez de persuadi-los moralmente ou negociar com eles), ver Volf, *Allah*.

[19] *The End of Faith: Religion, Terror, and the Future of Reason* (Nova York: W. W. Norton, 2004 [publicado no Brasil como *A morte da fé: Religião, terror e o futuro da razão*, trad. Isa Mara Lando e Claudio Carina. São Paulo: Companhia das Letras, 2009]), p. 23.

[20] Ver Platão, *Críton*, 49a—e.

Capítulo 2

[1] Ver Claus Westermann, *Genesis 1-11: A Continental Commentary*, trad. John J. Scullion (Minneapolis: Fortress, 1994), p. 139-146; e *Blessing in the Bible and the Life of the Church*, trad. Keith Crim (Philadelphia: Fortress, 1978), p. 59.

[2] Ver, por exemplo, a popular obra de Rhonda Byrne, *The Secret* (Nova York: Atria, 2006 [publicado no Brasil como *O segredo*, trad. Fabiano Morais. Rio de Janeiro: Sextante, 2015]), e sua sequência, *The Power* (Nova York: Atria,

2010 [publicado no Brasil como *O poder*, trad. Janaina Senna. Rio de Janeiro: Agir, 2010]).

³ Ver Volf, *Free of Charge: Giving and Forgiving in a Culture Stripped of Grace* (Grand Rapids: Zondervan, 2006), cap. 1.

⁴ Ver Olive Wyon, *The School of Prayer* (Philadelphia: Westminster, 1944), p. 28-35.

⁵ Para uma discussão dessa tradição, ver Walter Brueggemann, *Theology of the Old Testament: Testimony, Dispute, Advocacy* (Minneapolis: Fortress, 1997), p. 173-181. Sobre a importância da distinção entre libertação e bênção, ver Westermann, *Blessing*, p. 1-23.

⁶ *Critique of Practical Reason*, trad. Mary Gregor (Cambridge: Cambridge University Press, 1997 [publicado no Brasil como *Crítica da razão prática*, trad. Valério Rohden. São Paulo: Martin Claret, 2011]), livro 5, p. 122-134.

⁷ Ver Volf, *Work in the Spirit: Toward a Theology of Work* (Oxford: Oxford University Press, 1991), p. 97.

⁸ Ver também Volf, *The End of Memory: Remembering Rightly in a Violent World* (Grand Rapids: Eerdmans, 2006 [publicado no Brasil como *O fim da memória: Interrompendo o ciclo destrutivo das lembranças dolorosas*, trad. Almiro Pisetta. São Paulo: Mundo Cristão, 2009]), p. 78-81.

⁹ Segundo a famosa afirmação de Agostinho, o nosso coração está inquieto enquanto não encontrar seu descanso em Deus (ver *Confissões* 1.1.1).

¹⁰ Sobre a discussão de como o trabalho se relaciona especificamente com os dons e a vocação de cada um, ver Volf, *Work in the Spirit*. Nesse livro eu elaboro uma teologia do trabalho que se baseia não num chamado de Deus que é depois especificado pelo lugar da pessoa dentro do sistema social, mas em dons específicos (combinados com vocações) que Deus confere a cada indivíduo. Isso abre a possibilidade de um entendimento muito mais dinâmico do trabalho humano.

¹¹ Os pais da igreja primitiva refletiram intensamente sobre o tipo de trabalho que um cristão pode fazer. Tertuliano, por exemplo, refletiu tanto sobre a profissão de um soldado como sobre várias atividades associadas com a fabricação de ídolos (ver *On Idolatry* 4-10,19, disponível em: <http://www.ccel.org./ccel/schaff/anf03.iv.vi.ii.html>. Acesso em: 31 de mai. de 2016). Mais recentemente, Karl Barth também discutiu que tipo de trabalho é permissível para um cristão; ver *Church Dogmatics* III/4, ed. G. W. Bromiley e T. F. Torrance (Edinburgh: T&T Clark, 1961), p. 527-534. Precisamos atualizar essa discussão hoje e associá-la a fins moralmente apropriados, incluindo a proteção da dignidade humana e a garantia da sustentabilidade.

¹² Sobre essa distinção, ver Gregory M. Reichberg, "Jus ad Bellum", e Nicholas Rengger, "The Jus in Bello in Historical and Philosophical Perspective", em *War: Essays in Political Philosophy*, ed. Larry May (Cambridge: Cambridge University Press, 2008), p. 11-46.

¹³ Para uma discussão mais detalhada, ver cap. 4.

¹⁴ *Through the Looking Glass* (Londres: Macmillan, 1871 [publicado no Brasil como *Alice através do espelho*, trad. Alexandre Barbosa de Souza. São Paulo:

Cosac Naify, 2016]), p. 46. Sobre esse assunto, especialmente como ele está expresso em Eclesiastes, ver Volf, *Captive to the Word of God: Engaging Scripture for Theological Reflection* (Grand Rapids: Eerdmans, 2010), cap. 5.

[15] Para uma comovente discussão da transitoriedade de todos os esforços humanos, ver Alexander Schmemann, *The Eucharist: The Sacrament of the Kingdom*, trad. Paul Kachur (Crestwood, NY: St. Vladimir's Seminary Press, 1988), p. 127.

[16] Ver João Paulo II, *Laborem exercens* (1981), disponível em: <http://w2.vatican.va/content/john-paul-ii/pt/encyclicals/documents/hf_jp-ii_enc_14091981_laborem-exercens.html>. Acesso em: 31 de mai. de 2016. Ver também Volf, *Work in the Spirit*, p. 98-102.

[17] Para uma discussão mais aprofundada, ver Volf, *Work in the Spirit*, p. 96-98.

Capítulo 3

[1] Douglas Johnston e Cynthia Sampson, *Religion, the Missing Dimension of Statecraft* (Nova York: Oxford University Press, 1994).

[2] *Terror in the Mind of God: The Global Rise of Religious Violence* (Berkeley: University of California Press, 2000).

[3] Scott R. Appleby, *The Ambivalence of the Sacred: Religion, Violence, and Reconciliation* (Lanham, MD: Rowman & Littlefield, 1999), p. 2. Um impacto secularizante das guerras de religião foi sentido em áreas tão distantes das preocupações cotidianas como às vezes se julga estarem as teorias do conhecimento. Como argumentou Stephen Toulmin em *Cosmopolis*, a modernidade não emergiu, como muitas vezes se alega, simplesmente como uma consequência do esforço de seus protagonistas para dissipar as trevas da tradição e superstição com a luz da razão filosófica e científica. Não foi por acaso que Descartes "descobriu" o único método correto para a aquisição do conhecimento numa época em que "em grande parte do continente [...] as pessoas corriam sério risco de ter a garganta cortada e sua casa queimada por estranhos que simplesmente não gostassem da religião deles" (*Cosmopolis: The Hidden Agenda of Modernity* [Nova York: Free Press, 1990], p. 17). Uma nova maneira de estabelecer a verdade "neutra, que não dependia de lealdades religiosas específicas", apresentava-se como alternativa atraente para uma guerra alimentada por alegações dogmáticas (p. 70).

[4] Para uma interpretação alternativa das "guerras de religião", ver William T. Cavanaugh, *The Myth of Religious Violence: Secular Ideology and the Roots of Modern Conflict* (Oxford: Oxford University Press, 2009), p. 123-180.

[5] Para uma visão panorâmica, ver Gottfried Maron, "Frieden und Krieg: Ein Blick in die Theologie- und Kirchengeschichte", em *Glaubenskriege in Vergangenheit und Gegenwart*, ed. Peter Herrmann (Goettingen: Vandenhoeck und Ruprecht, 1996), p. 17-35. Ver também Karlheinz Deschner, *Kriminalgeschichte des Christentums*, 9 vols. (Reinbeck: Rowohlt, 1986), e uma resposta ao seu trabalho, H. R. Seeliger, ed., *Kriminalizierung des*

Christentums? Karlheinz Deschners Kirchengeschichte auf dem Pruefstand (Freiburg: Herder, 1993).

[6] A melhor maneira de explicar meu emprego dos adjetivos "thick" [aqui traduzido por "profundo"; lit., "denso"] e "thin" [aqui traduzido por "superficial"; lit. "ralo"] em relação à fé é compará-lo com o uso desses termos feito por outros autores. Clifford Geertz empregou o popular par contrastante "thick" e "thin" em *Interpretation of Cultures* (Nova York: Basic Books, 1974 [publicado no Brasil como *A interpretação das culturas*, trad. n. l. Rio de Janeiro: LTC, 1989), p. 3-30. Ele mesmo assumiu o par tomando-o de Gilbert Ryle. Ambos empregam o par no sintagma "descrição profunda [*thick*] ou superficial [*thin*]" do mesmo fenômeno. O caso típico de uma descrição "superficial" é "a rápida contração da pálpebra direita", e o de uma descrição "profunda" é "o gesto burlesco de um amigo simulando uma piscadela para induzir um inocente a imaginar que uma conspiração está em curso". Em seu livro *Thick and Thin: Moral Argument at Home and Abroad* (Notre Dame: University of Notre Dame Press, 1994), Michael Walzer introduziu um sentido alterado de "thick" e "thin" ao aplicar esses termos a argumentos morais. Escreve ele: "Não é minha pretensão apresentar uma descrição profunda [*thick*] do argumento moral; o que eu quero mesmo é apontar para uma espécie de argumentação que é em si mesma 'profunda' — ricamente referencial, com reverberações culturais, entretecida em um sistema simbólico ou rede de significados estabelecidos localmente. 'Superficial' [*thin*] é apenas um termo contrastante" (p. xi, n1). (Para um uso diverso mais recente de "thick" e "thin", no qual essas designações se referem "aos dois tipos de relações humanas", e no qual "relações profundas [*thick*] são em geral nossas relações com pessoas ou coisas próximas e queridas" e "relações superficiais [*thin*] são em geral nossas relações com pessoas ou coisas estranhas e distantes", ver Avishai Margalit, *The Ethics of Memory* [Cambridge, MA: Harvard University Press, 2002], p. 7, 37-40). Meu uso é semelhante ao de Walzer, no sentido de que, exatamente como Walzer alega ser o caso em relação à moral, chega-se a um entendimento e uma prática "superficial" [*thin*] da fé mediante uma abstração de um entendimento e uma prática "profunda" [*thick*]. "Thick" para mim é, por exemplo, um crente que expressa uma convicção de que Deus é triúno, e entende que essa convicção é regida pela história de Jesus Cristo e implica a obrigação de agir de determinadas maneiras; "thin" é a exibição de três dedos no ar da parte de soldados sérvios num gesto que parece um sinal de vitória, mas que é de fato um sinal de uma fé trinitária reduzida exatamente por esse gesto a nada mais que um indicador vazio de uma diferença cultural. Ou, para dar um exemplo dos Estados Unidos, "thin" é quando as palavras "sob Deus" no Juramento de Lealdade são drenadas do seu conteúdo religioso específico de modo que se tornam mais uma tradição cultural do que uma afirmação teológica; "thick" é quando "Deus" nessa frase do mencionado juramento se refere ao Deus de Jesus Cristo ou ao Alá do Alcorão ou ao Javé da Bíblia hebraica, o que pode tornar a frase inconstitucional segundo a cláusula do "no establishment"

[emenda à constituição que proíbe a indicação de qualquer religião em detrimento de outras] (ver o editorial "Taking on the Pledge", da *Christian Century*, 17-30 de jul. de 2002, p. 5). Embora nosso uso seja análogo, as preocupações de Walzer diferem das minhas. Eu estou preocupado em mostrar como a superficialização [*thinning*] da prática da religião permite que convicções religiosas sejam mal empregadas para legitimar a violência porque ela descarta exatamente aquilo que na fé religiosa "profunda" [*thick*] protege contra esse mau emprego, ao passo que a preocupação de Walzer é mostrar que a moralidade é "profunda" [*thick*] desde o começo e que a moralidade "superficial" [*thin*] entendida como universal sempre se situa no âmbito do "profundo" [*thick*] entendido como específico (Walzer, *Thick and Thin*, p. 4).

[7] Ver Volf, *Exclusion and Embrace: A Theological Exploration of Identity, Otherness, and Reconciliation* (Nashville: Abingdon, 1996).

[8] Há também outros argumentos a favor da mesma tese; de alguns deles tratarei indiretamente. Um argumento sobre a natureza violenta do cristianismo alega que as religiões são violentas por sua própria natureza, e que a fé cristã, sendo uma religião, é, portanto, também violenta. O livro de Jurgensmeyer *Terror in the Mind of God* baseia-se nessa leitura da religião. Uma razão central pela qual a violência tem acompanhado a renovada presença política da religião, argumenta ele, tem a ver com "a natureza da imaginação religiosa, que sempre mostrou uma tendência a absolutizar e a projetar imagens de uma guerra cósmica" (p. 242). A guerra cósmica é travada não pela guerra em si mesma, mas sim pela paz, é claro. Precisamente como um fenômeno em cujo âmago reside uma guerra cósmica, a religião vem "restaurando a ordem e afirmando a vida" (p. 159). Mas em sua busca da paz a religião não deve deixar atrás de si um rasto de sangue e lágrimas; ela não pode depender apenas de seus próprios recursos. Ela precisa da "moderação da racionalidade e do jogo honesto que os valores do Iluminismo proporcionam para a sociedade civil" (p. 243). A religião como religião é violenta. Para ter um papel socialmente positivo, ela precisa ser redimida por valores iluministas.

O argumento de que uma religião que tem entre seus maiores mestres Agostinho, Tomás de Aquino e Lutero (para mencionar apenas algumas brilhantes mentes teológicas) precisaria aprender de pensadores do Iluminismo a ser "racional" denuncia um entendimento bastante limitado do conceito de "racionalidade". Mas no mínimo essa explicação da racionalidade é plausível. Implausível, porém, é a alegação de que uma religião que conta com Francisco de Assis entre seus maiores santos não tem recursos próprios para aprender sobre jogo honesto, mas precisa tomá-los emprestados de pensadores do Iluminismo. A pressão para fazer alegações religiosas tão implausíveis provém da "superficialização" das convicções cristãs transformadas em crenças religiosas genéricas e da subsequente colocação de imagens da guerra cósmica na essência delas. Nesse processo, todas as características específicas da fé cristã se perderam.

⁹ *The Curse of Cain: The Violent Legacy of Monotheism* (Chicago: University of Chicago Press, 1997), p. 63.
¹⁰ Ver Jan Assmann, *Moses the Egyptian: The Memory of Egypt in Western Monotheism* (Cambridge, MA: Harvard University Press, 1997).
¹¹ *Lica i maske svetoga: Ogledi iz društvene religiologije* (Zagreb: Kršćanska Sadašnjost, 1997), p. 242-244.
¹² Para uma crítica de Schwartz nessa linha, ver Volf, "Jehovah on Trial", *Christianity Today*, 27 de abr. de 1998, p. 32-35.
¹³ Para a discussão seguinte, ver Volf, "'The Trinity is Our Social Program': The Doctrine of the Trinity and the Shape of Social Engagement", *Modern Theology*, nº 14 (1998), p. 403-423.
¹⁴ Em *Allah*, apresentei um argumento mostrando que a crença num Deus que ordena o amor ao próximo — ordena que você trate os outros como quer ser tratado por eles — de fato, sob certas condições, leva à adoção do pluralismo como projeto político (ver cap. 12).
¹⁵ *Sexism and God-Talk: Toward a Feminist Theology* (Boston: Beacon, 1983), p. 77.
¹⁶ *On Christian Theology* (Oxford: Blackwell, 2000), p. 68.
¹⁷ Idem, p. 68-69.
¹⁸ Ver John Milbank, *Theology and Social Theory: Beyond Secular Reason* (Oxford: Blackwell, 1990).
¹⁹ Jacques Derrida, *Specters of Marx: The State of the Debt, the Work of Mourning, and the New International*, trad. Peggy Kamuf (Nova York: Routledge, 1994 [publicado no Brasil como *Espectros de Marx: O Estado da dívida, o trabalho do luto e a nova Internacional*, trad. Anamaria Skinner. Rio de Janeiro: Relume Dumará, 1994]), p. 75.
²⁰ *The Prayers and Tears of Jacques Derrida: Religion without Religion* (Bloomington: Indiana University Press, 1997), p. 74.
²¹ Derrida, *Specters of Marx*, p. 90.
²² Ver *Thus Spoke Zarathustra*, em *The Portable Nietzsche*, trad. Walter Kaufmann (Nova York: Penguin, 1954 [publicado no Brasil como *Assim falou Zaratustra*, trad. Paulo César de Souza. São Paulo: Companhia das Letras, 2011]), p. 139, 253.
²³ Sobre o relacionamento entre condicionalidade e incondicionalidade, ver Volf, *Exclusion and Embrace*, p. 215-216.
²⁴ Ver Richard B. Hays, *The Moral Vision of the New Testament: Community, Cross, New Creation* (San Francisco: HarperSanFrancisco, 1996), p. 175.
²⁵ Ver Richard Bauckham, *The Theology of the Book of Revelation* (Cambridge: Cambridge University Press, 1993), p. 74, 90.
²⁶ Sobre a importante distinção entre esperar e acreditar na salvação universal, ver Hans Urs von Balthasar, *Dare We Hope That All Men Will Be Saved?*, trad. David Kipp e Lothar Krauth (San Francisco: Ignatius, 1988).
²⁷ Ver Volf, *Exclusion and Embrace*, p. 275-306.
²⁸ P. 16.

[29] A explicação de Michael Sells da relação da religião com o genocídio na Bósnia (*The Bridge Betrayed: Religion and Genocide in Bosnia* [Berkeley: University of California Press, 1996]) se fundamenta numa explicação extremamente "superficial" da fé cristã; esse tipo de fé funciona como um recurso cultural pouco vinculado às suas origens mais do que como uma fé viva comprometida com as Sagradas Escrituras e a melhor tradição. A "superficialização" não foi, obviamente, obra dele, mas sim das pessoas que ele estudou.
[30] *Ethics of Memory*, p. 100.
[31] Depoimento pessoal.
[32] Ver John Milbank, *Being Reconciled: Ontology and Pardon* (Londres: Routledge, 2003), p. 28-37, para uma discussão da violência ligada à violência vivenciada.

Capítulo 4
[1] *Hope and History: Five Salzburg Lectures*, trad. David Kipp (San Francisco: Ignatius, 1994), p. 20.
[2] *Theology of Hope: On the Ground and the Implications of a Christian Eschatology*, trad. Margaret Kohl (San Francisco: HarperSanFrancisco, 1991). Para um breve resumo, ver também Moltmann, *The Coming of God: On Christian Eschatology*, trad. Margaret Kohl (Minneapolis: Fortress, 1996), p. 25.
[3] *The Triumph of the Therapeutic: Uses of Faith after Freud* (Nova York: Harper & Row, 1966), p. 232-261.
[4] *Sobre a Trindade*, 13.10.
[5] Idem, 13.8.
[6] *Cidade de Deus*, 19.17.
[7] *A Secular Age* (Cambridge, MA: Harvard University Press, 2007), p. 245.
[8] *Critique of the Gotha Program*, em *Essential Writings of Karl Marx* (St. Petersburg, FL: Red and Black, 2010 [publicado no Brasil como *Crítica do programa de Gotha*, trad. Rubens Enderle. São Paulo: Boitempo, 2012]), p. 243.
[9] *The Real American Dream: A Meditation on Hope* (Cambridge, MA: Harvard University Press, 1999), p. 77.
[10] A afirmação de que o âmbito da esperança foi reduzido quando seu foco foi desviado de Deus e direcionado para a nação foi contestada. O próprio Delbanco sustenta que o ideal nacional é inferior a Deus. Em sua resenha do livro de Delbanco, Richard Rorty protesta: "Ora, alguém poderia imaginar Whitman perguntando se devem os norte-americanos aceitar a palavra de Deus quando ele afirma que é mais vasto do que a livre, justa e utópica nação dos nossos sonhos? Whitman sabidamente chamou os Estados Unidos de 'o maior poema'. Ele considerou narrativas que retratavam Deus como poemas menores — úteis no tempo delas por serem adequadas às necessidades de uma humanidade mais jovem. Mas agora somos mais crescidos" ("I Hear America Sighing", *New York Times Book Review*, 7 de nov. de 1999, p. 16). A disputa sobre qual sonho é maior — o sonho de uma nação ou o de

Deus — deve ser decidida em conjunção com a indagação sobre a existência factual de Deus. Pois somente a partir da suposição da sua inexistência Deus pode ser declarado inferior à nação, como quer que ela seja concebida.

[11] *White Jacket; Or, the World in a Man-of-War* (1850; reimpr., Nova York: Plume, 1979), cap. 36.

[12] Delbanco, *Real American Dream*, p. 96, 103.

[13] Idem, p. 103.

[14] "Political Education", em *Rationalism in Politics and Other Essays* (Indianapolis: Liberty, 1991), p. 48.

[15] Oferecendo uma versão particularmente sombria desse ponto, Arthur Schopenhauer escreve que na existência humana só há uma "gratificação momentânea, um prazer fugaz condicionado por vontades, muito e prolongado sofrimento, luta constante, *bellum omnium*, tudo sendo caçador e caçado, pressão, escassez, necessidade e ansiedade, gritos e gemidos, e isso dura por *secula seculorum* ou até que mais uma vez a crosta do planeta se parta" (*The World as Will and Representation*, trad. E. F. J. Payne [Mineola, NY: Dover, 1969 {publicado no Brasil como *O mundo como vontade e representação*, trad. M. F. Sá Correia. Rio de Janeiro: Contraponto, 2001}], vol. 2, p. 354).

[16] *O mercador de Veneza*, 2.6.12-13.

[17] Essa observação está de acordo com as conclusões centrais da Grande Pesquisa — um estudo de bem-ajustados alunos do segundo ano de Harvard iniciado em 1937 que, depois de mais de setenta anos de acompanhamento de seus sujeitos, continua sendo um dos "mais duradouros, e provavelmente mais exaustivos, estudos longitudinais de bem-estar físico e mental da história". Numa entrevista de 2008, George Valliant, diretor de longa data do projeto, ouviu a pergunta: "O que o senhor aprendeu com os sujeitos da Grande Pesquisa?". Sua reposta foi que "a única coisa realmente importante na vida são os relacionamentos com outras pessoas" (Joshua Wolf Shenk, "What Makes Us Happy?", *The Atlantic*, jun. de 2009, p. 36). Aplicada à pergunta sobre a satisfação, isso sugere que os relacionamentos conferem significado ao prazer; sem eles o prazer se esvazia.

[18] *Real American Dream*, p. 103.

[19] *The Alchemy of Happiness*, trad. Claud Field (Gloucester: Dodo, 2008), p. xii.

[20] *The Guide of the Perplexed*, trad. Shlomo Pines (Chicago: University of Chicago Press, 1963 [publicado no Brasil como *O guia dos perplexos*, trad. Uri Lam. São Paulo: Landy, 2003]), livro 1, cap. 2.

[21] Idem, livro 3, cap. 51.

[22] Idem, livro 3, cap. 54. Embora predominante, essa leitura "intelectualizada" da explicação de Maimônides da perfeição humana não deixou de ser questionada. Para uma leitura alternativa que enfatiza não apenas a apreensão humana de Deus, mas também o amor dos homens por Deus bem como o "retorno" humano ao mundo como um ser transformado pelo conhecimento de Deus "para participar do governo da sociedade a que se pertence segundo os princípios da bondade amorosa, da justiça e do bom senso", ver

Menachem Kellner, "Is Maimonides's Ideal Person Austerely Rationalist?", em *American Catholic Philosophical Quarterly*, nº 76 (2002), p. 125-143 (citação na p. 134).
²³ Houve na Idade Média e no Renascimento uma crítica cristã muito comum do islamismo, que afirmava que ele se funda "no prazer", como se expressa o papa Pio II em sua carta ao sultão otomano Maomé II. Ver Aeneas Silvius Piccolomini, *Epistola ad Mahomatem II*, ed. e trad. Altert R. Baca (Nova York: Peter Lang, 1990), p. 91.
²⁴ *Education's End: Why Our Colleges and Universities Have Given Up on the Meaning of Life* (New Haven: Yale University Press, 2007), p. 197.
²⁵ Ver p. 1-26.
²⁶ Ver Katerina Ierodiakonou, "The Study of Stoicism: Its Decline and Revival", em *Topics in Stoic Philosophy*, ed. Katerina Ierodiakonou (Oxford: Oxford University Press, 1999), p. 1-22.
²⁷ Para os propósitos deste ensaio, estou seguindo a discussão de Sêneca e os estoicos em Nicholas Wolterstorff, *Justice: Right and Wrongs* (Princeton: Princeton University Press, 2008), p. 146-179.
²⁸ Ver *Beyond Good and Evil* (Nova York: Vintage, 1989 [publicado no Brasil como *Além do bem e do mal*, trad. Paulo César de Souza. São Paulo: Companhia das Letras, 2005]), p. 15.
²⁹ *On the Genealogy of Morality*, ed. Keith Ansell-Pearson, trad. Carol Diethe (Cambridge: Cambridge University Press, 1994 [publicado no Brasil como *Genealogia da moral*, trad. Paulo César de Souza. São Paulo: Companhia das Letras, 2009]), p. 8.
³⁰ O último ponto se sustenta mesmo sendo verdade que Nietzsche não consegue apresentar razões plausíveis para preferir sua moral nobre à moral escrava ocidental, porque ele não acreditava que há fatos objetivos acerca do que é moralmente certo e do que é moralmente errado. Ver Brian Leiter, "Nietzsche's Moral and Political Philosophy", *Stanford Encyclopedia of Philosophy*, 24 de abr. de 2010, disponível em: <http://plato.stanford.edu/entries/nietzsche-moral-political/>. Acesso em: 31 de mai. de 2016.
³¹ Sobre Deus como "Mordomo Divino" e "Terapeuta Cósmico" entre os adolescentes norte-americanos, ver Christian Smith, *Soul Searching: The Religious and Spiritual Lives of American Teenagers* (Oxford: Oxford University Press, 2005), p. 165.
³² "Culture and Barbarism: Metaphysics in a Time of Terrorism", *Commonweal*, 27 de mar. de 2009, p. 9.
³³ *The Meaning of Life: A Very Short Introduction* (Oxford: Oxford University Press, 2007), p. 35. Para uma crítica paralela do impacto do pós-modernismo na discussão da questão do significado da vida em instituições educacionais do ensino superior, ver Kronman, *Education's End*, p. 180-194.
³⁴ Nessa linha de interpretação de Agostinho, ver Oliver O'Donovan, *The Problem of Self-Love in St. Augustine* (New Haven: Yale University Press, 1980), e Wolterstorff, *Justice*, p. 180-206.

³⁵ A ideia de que a prosperidade humana consiste formalmente numa combinação de uma vida bem vivida com uma vida que vai bem eu devo a Wolterstorff, *Justice*, p. 221.
³⁶ *Sermão 100 (150)*, 7.

Capítulo 5

¹ Este capítulo tem afinidades com o livro de James Davison Hunter, *To Change the World: The Irony, Tragedy, and Possibility of Christianity in the Late Modern World* (Oxford: Oxford University Press, 2010). O capítulo se baseia em textos que escrevi em meados dos anos 1990: "Soft Difference: Theological Reflections on the Relation between Church and Culture in 1 Peter", *Ex Auditu*, nº 10 (1994), p. 15-30 (reimpr., Volf, *Captive to the Word of God*, cap. 2); "Christliche Identität und Differenz: Zur Eigenart der christlichen Präsenz in den modernen Gesellschaften", *Zeitschrift für Theologie und Kirche*, nº 3 (1995), p. 357-375; e "When Gospel and Culture Intersect: Notes on the Nature of Christian Difference", em *Pentecostalism in Context: Essays in Honor of William W. Menzies*, ed. Wonsuk Ma e Robert P. Menzies (Sheffield: Sheffield Academic Press, 1997), p. 223-236.
² "The Protestant Sects and the Spirit of Capitalism", em *From Max Weber: Essays in Sociology*, ed. H. H. Gerth e C. Wright Mills (1948; reimpr., Nova York: Routledge, 1998), p. 305.
³ Ver Niklas Luhman, *Funktion der Religion* (Frankfurt: Suhrkamp, 1977), p. 236.
⁴ Ver Peter Berger, *The Heretical Imperative: Contemporary Possibilities of Religious Affirmation* (Garden City, NY: Anchor, 1979), p. 11-17; 26-32.
⁵ É inadequado descrever a escolha de aderir a um grupo religioso particular como sendo estritamente análoga às escolhas que as pessoas fazem no mercado. (Essa minha convicção vai contra Hans Joas, *Do We Need Religion? On the Experience of Self-Transcendence*, trad. Alex Skinner [Boulder: Paradigm, 2008], p. 28-29.)
⁶ Max Weber, "The Social Psychology of the World Religions", em *From Max Weber*, p. 288.
⁷ Ver a introdução de Fredrick Barth ao volume organizado por ele, *Ethnic Groups and Boundaries: The Social Organization of Culture Difference* (1969; reimpr., Long Grove, IL: Waveland, 1998).
⁸ Ver Anthony P. Cohen, *The Symbolic Construction of Community* (Londres: Routledge, 1985); e Alan Wolfe, "Democracy Versus Sociology: Boundaries and Their Political Consequences", em *Cultivating Differences: Symbolic Boundaries and the Making of Inequality*, ed. Michèle Lamont e Marcel Fournier (Chicago: University of Chicago Press, 1992), p. 309-325.
⁹ *The Social Teaching of the Christian Churches*, trad. Olive Wyon (1911; reimpr., Chicago: University of Chicago Press, 1981), vol. 1, p. 331-343.
¹⁰ Ver a crítica de John Howard Yoder à descrição do tipo de relação "Cristo contra a cultura" entre o cristianismo e a cultura feita por

H. Richard Niebuhr, a qual muito se aproxima da "seita" de Troeltsch: "How H. Richard Niebuhr Reasoned: A Critique of *Christ and Culture*", em Glen H. Stassen, D. M. Yeager e John Howard Yoder, *Authentic Transformation: A New Vision of Christ and Culture* (Nashville: Abingdon, 1996), p. 31-90.

[11] Alguns sociólogos argumentaram que o pluralismo causa a erosão da crença: ver Peter Berger, *A Far Glory: The Quest for Faith in an Age of Credulity* (Nova York: Free Press, 1994); de modo semelhante, Hunter, *To Change the World*, p. 203. Como me apontou José Casanova em conversas particulares, a Índia e os Estados Unidos são bons exemplos no sentido contrário. Para uma crítica da posição de Berger, ver Joas, *Do We Need Religion?*, p. 21-35.

[12] Ver Troeltsch, *Social Teaching*, vol. 1, p. 335, 344.

[13] Para uma discussão da diferenciação funcional de um ângulo teológico, ver Michael Welker, *God's Spirit*, trad. John F. Hoffmeyer (Minneapolis: Augsburg Fortress, 1994), p. 29-31.

[14] Ver Anthony Giddens, *Runaway World: How Globalization Is Reshaping Our Lives* (Nova York: Routledge, 2003).

[15] De acordo com Heidi Campbell, professora assistente do Departamento de Comunicações da Texas A&M University, em correspondência pessoal (23 de out. de 2010).

[16] Mais adiante vou realçar razões teológicas significativas para buscar uma mudança dentro de certos limites.

[17] Ver Berger, *Far Glory*, p. 3-24.

[18] *Resident Aliens: Life in the Christian Colony* (Nashville: Abingdon, 1989), p. 27.

[19] *What New Haven and Grand Rapids Have to Say to Each Other* (Grand Rapids: Calvin College and Calvin Theological Seminary, 1993), p. 2.

[20] George Lindbeck, "Scripture, Consensus, and Community", em *Biblical Interpretation in Crisis: The Ratzinger Conference on Bible and Church*, ed. Richard John Neuhaus (Grand Rapids: Eerdmans, 1989), p. 74-101; ver também Lindbeck, *The Nature of Doctrine: Religion and Theology in a Postliberal Age* (Louisville: Westminster John Knox, 1984).

[21] *New Haven and Grand Rapids*, p. 45.

[22] Esse é o ponto da preferência de Hans Frei por uma "correlação *ad hoc*". Ver Hans Frei, *Types of Christian Theology* (New Haven: Yale University Press, 1992), p. 70-91.

[23] Por certo, a explicação do centro exato da fé cristã está fadado a mudar também, como mudou no decurso dos séculos, mesmo que seus fundamentos tenham permanecido os mesmos (engastados em credos históricos como os de Niceia e Calcedônia). Dentro dos limites da história bíblica e orientados pelos grandes credos e confissões, os cristãos continuarão testando, e possivelmente revisando, o modo como eles entendem a revelação de Deus à luz do que transpira no mundo — nas ciências bem como em outras religiões (ver William Stacey Johnson, *The Mystery of God: Karl Barth and the Foundations of Postmodern Theology* [Louisville: Westminster John Knox, 1997]).

[24] *Discipleship*, ed. Geffrey B. Kelly e John D. Godsey, trad. Barbara Green e Reinhard Krauss (Minneapolis: Fortress, 2001 [publicado no Brasil como *Discipulado*, trad. Murilo Jardelino e Clélia Barqueta. São Paulo: Mundo Cristão, 2016]), p. 259. Ver também Ernst Frei, *Die Theologie Bonhoeffers: Hermeneutik, Christologie, Weltverständniss* (Munique: Kaiser, 1971), p. 223-232.
[25] P. 250-251.
[26] Idem, p. 251, citando um hino de Christian Friedrich Richter.
[27] *The Practice of Everyday Life*, trad. Steven Rendall (Berkeley: University of California Press, 1984), p. xiv.
[28] Idem, p. 32.
[29] *Grundrisse: Foundations of the Critique of Political Economy*, trad. Martin Nicolaus (Londres: Penguin, 1973 [publicado no Brasil como *Grundrisse*, trad. Mario Duyaer. São Paulo: Boitempo, 2011]), p. 92.
[30] Paul Bloom argumentou que o prazer não é simplesmente uma função das características físicas do objeto que nos dá prazer, mas é também uma função da nossa própria percepção e interpretação daquele objeto. Ver *How Pleasure Works: The New Science of Why We Like What We Like* (Nova York: W. W. Norton, 2010). O mesmo se aplica, argumentaria eu, a pelo menos algumas formas de dor, sendo uma delas a fome.
[31] Ver *Phenomenology of Spirit*, trad. A. V. Miller (Oxford: Oxford University Press, 1977 [publicado no Brasil como *Fenomenologia do espírito*, trad. Paulo Meneses. Petrópolis: Vozes, 2011]), p. 184.
[32] Sobre a modernidade como tentativa de reconstruir a vida cultural e intelectual a partir do zero, ver Toulmin, *Cosmopolis*.
[33] Para uma crítica da natureza apocalíptica que vincula a identificação "de nossas próprias expectativas para o futuro com o plano de Deus", ver Charles Mathewes, *A Theology of Public Life* (Cambridge: Cambridge University Press, 2007), p. 38-42, 205-208.
[34] *Philosophical Investigations*, trad. G. E. M. Anscombe (Nova York: Macmillan, 1973 [publicado no Brasil como *Investigações filosóficas*, trad. Marcos G. Montagnoli. Petrópolis: Vozes, 2012]), p. 8.
[35] Ver Volf, *Exclusion and Embrace*, p. 65-66.

Capítulo 6

[1] Ver Jonathan Fox, "Religion and the State Failure", *International Political Science Review*, nº 25 (2004), p. 55-76; Jonathan Fox, "The Rise of Religious Nationalism and Conflict", *Journal of Peace Research*, nº 41 (2004), p. 715-731; David Herbert e John Wolffe, "Religion and Contemporary Conflict in Historical Perspective", em *Religion in History: Conflict, Conversion, and Coexistence*, ed. John Wolffe (Manchester: Manchester University Press, 2004), p. 286-320.
[2] Para a leitura de um livro recente e convincente sobre a sabedoria cristã, ver David F. Ford, *Christian Wisdom: Desiring God and Learning in Love* (Cambridge: Cambridge University Press, 2007).

³ Sobre a vida cristã como um estilo de vida, ver Volf, *Against the Tide: Love in a Time of Petty Dreams and Persisting Enmities* (Grand Rapids: Eerdmans, 2010), p. 82-85. Ver também Scharen, *Faith as a Way of Life*. Muitos muçulmanos veem o islamismo como um estilo de vida. Obviamente, cristãos e muçulmanos referem-se a coisas um tanto diferentes ao falar de estilo de vida, e no seio de cada religião extremistas, como Sayyid Qutb, cuja concepção do islamismo como estilo de vida eu discuto na Introdução, têm ideias parcialmente diferentes daquelas dos fiéis à tradição clássica em cada religião. E, no entanto, a maioria dos muçulmanos e dos cristãos concorda: a "religião" deles não é simplesmente um conjunto de convicções ou um conjunto de rituais, mas um estilo de vida no mundo de hoje. É interessante observar que a frase "estilo de vida", esvaziada de seu significado mais profundo, aparece até na retórica dos políticos ocidentais em sua legítima oposição ao islamismo radical. Eles o veem como uma ameaça ao "nosso estilo de vida" (ver o discurso de George W. Bush durante uma sessão conjunta do Congresso no dia 20 de set. de 2001, disponível em: <http://www.washingtonpost.com/wp-srv/nation/specials/attacked/transcripts/bushaddress_092001.html>. Acesso em: 31 de mai. de 2016).

⁴ Ver Jan Assmann, *Die Mosaische Unterscheidung: Oder der Preis des Monotheismus* (Munique: Carl Hanser, 2003), e *Moses the Egyptian*.

⁵ Sobre a "Grande Comissão", ver David J. Bosch, "The Structure of Mission", em *Exploring Church Growth*, ed. Wilbert R. Shenk (Grand Rapids: Eerdmans, 1983), p. 218-248; Peter T. O'Brien, "The Great Commission of Matthew 28:18-20", *Reformed Theological Review*, nº 35 (1976), p. 66-78; e N. T. Wright, *Matthew for Everyone: Part Two* (Louisville: Westminster John Knox, 2004), p. 204-206.

⁶ Sobre o "Grande Mandamento" como motivação do compartilhamento, ver Agostinho, *Sobre a doutrina cristã*, 1.26, 27-29, 30; *Carta 130*, 14.

⁷ Ver *An Enquiry into the Obligations of Christians to Use Means for the Conversion of the Heathens* (Leicester: Ann Ireland, 1792).

⁸ Ver Catherine Cookson, ed., *The Encyclopedia of Religious Freedom* (Londres: Routledge, 2003). A Comissão Norte-Americana sobre Liberdade Religiosa Internacional publica um relatório anual avaliando a situação global em relação à liberdade e perseguição religiosa. Disponível em: <http://www.uscirf.gov>. Acesso em: 31 de mai. de 2016.

⁹ Sobre formas não competitivas de dar, ver Kathryn Tanner, *Jesus, Humanity, and the Trinity: A Brief Systematic Theology* (Minneapolis: Fortress, 2001), p. 90-94.

¹⁰ Sobre o dia de Pentecostes como o nascimento da igreja, ver Jürgen Moltmann, *The Church in the Power of the Spirit: A Contribution to Messianic Ecclesiology* (Minneapolis: Fortress, 1993 [publicado no Brasil como *A Igreja no poder do Espírito*, trad. Monika Otterma. Santo André, SP: Academia Cristã, 2013]).

[11] O exemplo mais clamoroso é a conquista das Américas. Ver Bartolomé de las Casas, *The Devastation of the Indies: A Brief Account*, trad. Herma Briffault (Baltimore: Johns Hopkins University Press, 1992); George E. Tinker, *Missionary Conquest: The Gospel and Native American Cultural Genocide* (Minneapolis: Augsburg Fortress, 1993); Josep M. Barnadas, "The Catholic Church in Colonial Spanish America", e Eduardo Hoonaert, "The Catholic Church in Colonial Brazil", em *Colonial Latin America Volume 1: The Cambridge History of Latin America*, ed. Leslie Bethell (Cambridge: Cambridge University Press, 1984), p. 511-540 e 541-556. Ver também a já clássica obra de Tzvetan Todorov, *The Conquest of America: The Question of the Other* (Nova York: Harper & Row, 1984 [publicado no Brasil como *A conquista da América: A questão do outro*, trad. Beatriz Perrone-Moisés. São Paulo: Martins Fontes, 1983]).

[12] Ver *Church Dogmatics* IV/3.2, p. 797.

[13] Essa é uma expressão do fato de que, estritamente falando, os cristãos não possuem a sabedoria. Cristo sendo a sabedoria encarnada, o caso é o contrário. Quando ela é entendida apropriadamente, os cristãos são possuídos pela sabedoria, e eles são sábios não em si mesmos, mas apenas na medida em que a sabedoria habita neles.

[14] Sobre a crescente mercantilização dos bens de cada dia, ver os ensaios em Susan Strasser, ed., *Commodifying Everything: Relationships of the Market* (Londres: Routledge, 2003).

[15] Sobre a importância de dar presentes na vida humana, ver Volf, *Free of Charge*, p. 55-126.

[16] Embora o apóstolo Paulo julgasse que tinha o direito a receber pagamento por seu trabalho apostólico, ele dispensou a remuneração (ver At 20.33-35; 1Co 9.1-18; 2Ts 3.8). Sócrates, como bem se sabe, recusava remuneração pelos seus serviços (ver Platão, *Apologia*, 19d-e).

[17] Ver Volf, *Free of Charge*.

[18] Ver Platão, *Teeteto*, 148e-150e.

[19] Ver Søren Kierkegaard, *Philosophical Fragments*, trad. David F. Swenson e Howard V. Hong (Princeton: Princeton University Press, 1962 [publicado no Brasil como *Migalhas filosóficas ou Um bocadinho de filosofia de João Clímacus*, trad. Ernani Reichmann e Alvaro Valls. Petrópolis: Vozes, 1995]), p. 11-45.

[20] Sobre "ouvir" como fator fundamental para a fé, ver Ratzinger (Bento XVI), *Introduction to Christianity* (San Francisco: Ignatius Press, 2004 [publicado no Brasil como *Introdução ao cristianismo*. São Paulo: Loyola, 2010]), p. 90-92.

[21] Para uma exploração literária desse tema, ver Paer Lagerkvist, *Barabbas*, trad. Alan Blair (Nova York: Vintage, 1989).

[22] Sayyid Qutb, por exemplo, afirma explicitamente que, enquanto morou no Ocidente, ele se envolveu em polêmicas com cristãos, tentando mostrar-lhes a irracionalidade do cristianismo: "Veja esses conceitos da Trindade, do

pecado original, do sacrifício e da redenção, que não agradam nem à razão nem à consciência" (*Milestones*, p. 95).

[23] Sobre a capacidade dos discípulos de reconhecer Cristo, ver um comentário crítico de Friedrich Nietzsche que pressupõe a mesma convicção acerca da necessidade de afinidade entre o que é achado e o que é recebido (*Twilight of the Idols and the Anti-Christ*, p. 157). Ver também Volf, *Exclusion and Embrace*, p. 254-258.

[24] Ver, por exemplo, Kierkegaard, *Philosophical Fragments*, p. 14-15.

[25] Ver sobre isso Werner W. Jaeger, *Early Christianity and Greek Paideia* (Cambridge, MA: Harvard University Press, 1961); e Jaroslav Pelikan, *Christianity and Classical Culture: The Metamorphosis of Natural Theology in the Christian Encounter with Hellenism* (New Haven: Yale University Press, 1993).

[26] Sobre a transformação do vocabulário filosófico grego adotado para suprir as necessidades do assunto de acordo com o entendimento da fé cristã, ver, entre muitos outros, John D. Zizioulas, "The Doctrine of the Holy Trinity: The Significance of the Cappadocian Contribution", em *Trinitarian Theology Today: Essays on Divine Being and Act*, ed. Christoph Schwöbel (Edimburgo: T&T Clark, 1995), p. 44-60.

[27] Sobre o fenômeno da troca recíproca no processo da enculturação, ver Chibueze Udeani, *Inculturation as Dialogue: Igbo Culture and the Message of Christ* (Nova York: Rodopi, 2007), p. 130-133.

[28] *Primeira Apologia*, 46.

[29] *Systematic Theology* (Chicago: University of Chicago Press, 1963 [publicado no Brasil como *Teologia sistemática*, trad. Getulio Bertelli e Geraldo Korndorfer. São Leopoldo, RS: Sinodal, 2005]), vol. 3, p. 214.

[30] No que diz respeito a cristãos aprendendo de muçulmanos, em *Allah* eu escrevo o seguinte: "Cada fé tem um repertório de crenças e práticas. Em determinado tempo ou lugar, uma fé apresentará em primeiro plano alguns temas de seu repertório e deixará outros em segundo plano. Atualmente, por exemplo, 'a submissão a Deus', tema central do islamismo, não é a 'melodia' preferida de muitos cristãos no Ocidente; esse tema vai contra as sensibilidades culturais igualitárias ocidentais. Mas é uma parte essencial e muitas vezes 'executada' do repertório cristão histórico. No fim das contas, os cristãos acreditam que Deus é o Senhor soberano. Seria plenamente legítimo, e talvez até desejável, para os cristãos do Ocidente, em parte provocados por muçulmanos, redescobrir 'a submissão a Deus' como uma dimensão-chave da espiritualidade" (p. 197).

[31] Para uma breve discussão de algumas regras básicas do evangelismo baseadas na Regra de Ouro, ver Volf, *Allah*, cap. 11.

[32] O livro de Martin E. Marty *The Christian World: A Global History* (Nova York: Random House, 2007) inclui inúmeros exemplos de cristãos compartilhando a sabedoria tanto com métodos bons como com métodos perversos.

³³ Essa alegação se tornou popular depois da publicação do livro do jornalista italiano Antonio Socci, *I Nuovi Perseguitati* (Casale Monferrato: Piemme, 2002). Socci extrai muitos de seus dados de David B. Barrett, George T. Kurian e Todd M. Johnson, *The World Christian Encyclopedia*, 2 vols. (Oxford: Oxford University Press, 2001). A enciclopédia foi objeto de muitas críticas. Para uma avaliação imparcial dos dados dessa obra, ver Becky Hsu et al., "Estimating the Religious Composition of All Nations: An Empirical Assessment of the World Christian Database", *Journal for the Scientific Study of Religion*, nº 47 (2008), p. 678-693.

³⁴ Ver Robert Conquest, "The Churches and the People", em *The Harvest of Sorrow: Soviet Collectivization and the Terror-famine* (Oxford: Oxford University Press, 1986), p. 199-213; Geoffrey A. Hosking, "Religion and Nationality under the Soviet State", em *The First Socialist Society: A History of the Soviet Union from Within*, ed. rev. (Cambridge, MA: Harvard University Press, 1993), p. 227-260; Richard C. Bush Jr., *Religion in Communist China* (Nashville: Abingdon, 1970); G. Thompson Brown, *Christianity in the People's Republic of China*, ed. rev. (Atlanta: John Knox, 1986), p. 75-134.

³⁵ Sobre o perdão, ver Volf, *Free of Charge*, caps. 4—6.

³⁶ Ver "Jubilee Characteristic: The Purification of Memory", *Origins*, nº 29 (2000), p. 649-650.

³⁷ *Works*, ed. Harold J. Grimm (Philadelphia: Fortress, 1962), vol. 31, p. 306.

Capítulo 7

¹ Essa expressão surgiu com Friedrich Engels, que a empregou para descrever o que acontece com o estado depois da revolução proletária. "O estado não é 'abolido'. Ele definha até morrer" (*Anti-Dühring: Herr Eugen Dühring's Revolution in Science*, 2ª ed. [Moscou: Foreign Languages Publishing, 1954], p. 387).

² Ver, por exemplo, Ernest Renan, *The Future of Science* (Boston: Roberts Brothers, 1891); e Jean-Marie Gayau, *The Non-Religion of the Future: A Sociological Study* (Nova York: Holt, 1897).

³ Ver Karl Marx, "A Contribution to the Critique of Hegel's *Philosophy of Right*: Introduction", e "Concerning Feuerbach", em *Karl Marx: Early Writings*, trad. Rodney Livingstone e Gregor Benton (Londres: Penguin, 1992), p. 243-258 e 421-423; Friedrich Nietzsche, *On the Genealogy of Morality*, ed. Keith Ansell-Pearson, trad. Carol Diethe (Cambridge: Cambridge University Press, 1994); Sigmund Freud, *The Future of an Illusion*, trad. James Strachey (1961; reimpr., Nova York: W. W. Norton, 1989 [publicado no Brasil como *O futuro de uma ilusão*, trad. Renato Zwick. São Paulo: L&PM, 2010]).

⁴ Ver Peter Berger, "The Desecularization of the World: A Global Overview", em *The Desecularization of the World: Resurgent Religion and World Politics*, ed. Peter Berger (Grand Rapids: Eerdmans, 1999), p. 1-18.

⁵ Ver "The Transformation of the Religious Dimension in the Constitution of Contemporary Modernities — The Contemporary Religious Sphere in the Context of Multiple Modernities", em *Religion in Cultural Discourse: Essays in Honor of Hans J. Kippenberg on the Occasion of His 65th Birthday*, ed. Brigitte Luchesi e Kocku von Stuckrad (Nova York: Walter de Gruyter, 2004), p. 337-353.
⁶ *Modern Social Imaginaries* (Durham: Duke University Press, 2004), p. 1; "Two Theories of Modernity", em *Alternative Modernities*, ed. Dilip Parmeshwar Gaonkar (Durham: Duke University Press, 2001), p. 172-196. Sobre múltiplas modernidades, ver também José Casanova, "Rethinking Secularization: A Global Comparative Perspective", em *Religion, Globalization, and Culture*, ed. Peter Beyer e Lori Beaman (Leiden: Brill, 2007), p. 107-110.
⁷ Sinto-me um tanto hesitante em designar qualquer uma das fés mundiais como "religiões" porque a própria noção de "religião" é um produto da modernidade; ela representa a redução de uma vida e de uma fé abrangente a uma esfera — uma esfera religiosa — no seio de uma sociedade secular maior (ver, entre outros, Cavanaugh, *Myth of Religious Violence*, p. 57-122).
⁸ Ver Philip Jenkins, *The Next Christendom: The Coming of Global Christianity* (Oxford: Oxford University Press, 2002), p. 42-46.
⁹ Ver "U.S. Religious Landscape Survey — Religious Affiliation: Diverse and Dynamic", Pew Forum on Religion and Public Life, fev. de 2008, disponível em: <http://religions.pewforum.org/pdf/report-relligous-landscape-study-full.pdf>; "Mapping the Global Muslim Population", Pew Forum on Religion and Public Life, out. de 2009, disponível em: <http://pewforum.org/uploadedfiles/Topics/Demographics/Muslimpopulation.pdf>. Acessos em: 31 de mai. de 2016. Com exceção da estimativa muçulmana, para a qual o fórum apresenta um número absoluto, eu cheguei a esses números multiplicando os dados do fórum sobre os percentuais da população pela estimativa do US Census Bureau para sua população em 2009. O número dos "não religiosos" inclui aqueles que o Pew Forum conta como "ateus", "agnósticos" e "seculares sem filiação". Sobre a dificuldade de calcular o tamanho das populações muçulmanas na Europa e nos Estados Unidos, ver Jocelyn Cesari, *When Islam and Democracy Meet: Muslims in Europe and the United States* (Nova York: Palgrave Macmillan, 2004), p. 9-11.
¹⁰ Ver Robert J. Pauly Jr., *Islam in Europe: Integration or Marginalization?* (Aldershot: Ashgate, 2004), que inclui exemplos de comunidades muçulmanas cada vez mais envolvidas em eleições políticas locais e nacionais em diversos países europeus.
¹¹ Ver um relatório recente sobre empresas na China que intensamente promovem a atividade religiosa cristã entre seus funcionários: Christopher Landau, "Christian Faith Plus Chinese Productivity", BBC News, 26 de ago. de 2010, disponível em: <http://www.bbc.co.uk/news/world-asia-pacific-10942954>. Acesso em: 31 de mai. de 2016.

¹² Sobre a pluralidade de religiões na Índia, ver T. N. Madan, "Religions of India: Plurality and Pluralism", em *Religious Pluralism in South Asia and Europe*, ed. Jamal Malik e Helmut Reifeld (Oxford: Oxford University Press, 2005), p. 42-76; e Kamran Ahmad, *Roots of Religious Tolerance in Pakistan and India* (Lahore: Vanguard, 2008).

¹³ Como exemplo desse tipo de linguagem, ver as observações do cardeal Giacomo Biffi citado em Cesari, *When Islam and Democracy Meet*:
"É óbvio que os muçulmanos devem ser tratados como um caso à parte. Devemos confiar que aqueles que são responsáveis pelo bem comum não tenham medo de enfrentá-los de olhos abertos e sem ilusões. Na grande maioria dos casos e com apenas algumas poucas exceções, os muçulmanos vêm para cá determinados a continuar estrangeiros em relação ao nosso tipo de 'humanidade' individual ou social em tudo o que é extremamente essencial, extremamente precioso: estrangeiros em relação àquilo que para nós, como 'secularistas', é impossível renunciar. De modo mais ou menos explícito, eles vêm para cá com suas mentes determinadas a continuar fundamentalmente 'diferentes', esperando nos tornar a todos fundamentalmente iguais a eles. [...] Eu acredito que a Europa deve tornar-se novamente cristã; caso contrário, ela se tornará muçulmana" (p. 33).

¹⁴ Ver Richard T. Hughes, *Christian America and the Kingdom of God* (Champaign: University of Illinois Press, 2009), caps. 4—5.

¹⁵ Ver "Role of Religion", p. 67-120; ver também John Rawls, *Political Liberalism* (Nova York: Columbia University Press, 1993 [publicado no Brasil como *O liberalismo político*, trad. Álvaro de Vita. São Paulo: Martins Fontes, 2011]).

¹⁶ "Role of Religion", p. 73.

¹⁷ Sobre essa expressão, ver Thomas Jefferson, "To Messrs. Nehemiah Dodge, Ephram Robbins, and Stephen S. Nelson, a Committee of the Danbury Baptist Association, in the State of Connecticut", em *Thomas Jefferson: Political Writings*, ed. Joyce Appleby e Terence Ball (Cambridge: Cambridge University Press, 1999), p. 397.

¹⁸ Como exemplo da crítica do liberalismo político segundo os critérios apresentados acima, considere-se a posição de Oliver O'Donavan. Num *paper* intitulado "The Constitutional State and Limitation of Belief" apresentado em Yale no dia 23 de mar. de 2006 (disponível em: <http://divinity.yale.edu/news-and-media/videos/constitutional-state-and-limitation-belief>; acesso em: 31 de mai. de 2016), ele levanta a questão da natureza do relacionamento entre os assim chamados "termos de associação cívica" em determinado sistema político (entendidos como princípios reguladores) e "visões universais" (as doutrinas teóricas inclusivas de seus membros). Os princípios reguladores são alegações de segunda ordem; "visões universais" são alegações de primeira ordem. Em democracias liberais, as normas de segunda ordem regulamentam a expressão pública das visões universais de primeira ordem. Em consequência disso, tais democracias são

inóspitas para os crentes, que devem subordinar suas visões inclusivas que orientam seus atos às normas de uma associação cívica. Os cidadãos religiosos dessas democracias sentem, portanto, "uma incoerência radical" na estrutura dos seus sistemas de crenças. Essa é uma acusação formal muito séria. Se correta, as democracias liberais não estão cumprindo um dos objetivos mais básicos declarados pelo próprio liberalismo: garantir a cada pessoa a liberdade de viver de acordo com sua interpretação da vida (ou com sua ausência dessa interpretação). O liberalismo é iliberal. A incoerência na estrutura de sistemas de crenças (visão universal) se traduz, para os membros de democracias liberais, na incoerência do projeto do liberalismo político em si. Para viver numa democracia liberal, os crentes precisam se engajar em "maus acordos", cedendo, contra suas "mais profundas convicções", a um conjunto externo de regras — em outras palavras, precisam alterar em vez de exercer suas visões universais. Simplesmente por essas e outras razões, O'Donavan rejeita o liberalismo político. Alinhando-me com Wolterstorff, penso que o liberalismo político "tem conserto".

[19] "Role of Religion", p. 115.
[20] Idem.
[21] Idem, p. 109.
[22] Idem.
[23] Ver Volf, *Allah*, cap. 12. Ver também Volf, *Captive to the Word of God*, cap. 3.
[24] Jalal al-Din Rumi, *Masnavi* 3.1259, citado, por exemplo, em Geoffrey Parrinder, *The Routledge Dictionary of Religious and Spiritual Citations* (Londres: Routledge, 2000), p. 22.
[25] Para uma apresentação clássica dessa ideia, ver John Hick, *An Interpretation of Religion*: *Human Responses to the Transcendent* (New Haven: Yale University Press, 1989).
[26] Para uma crítica da concepção pluralista da religião, ver Gavin D'Costa, *The Meeting of Religions and the Trinity* (Maryknoll, NY: Orbis, 2000); e Michael Barnes, *Theology and the Dialogue of Religions* (Cambridge: Cambridge University Press, 2002).
[27] Ver William Schweiker sobre as religiões se perceberem naquilo que ele descreve como uma situação de "reflexividade" — cada uma vendo-se da perspectiva da outra e reajustando seu próprio entendimento parcialmente em resposta a essa visão — em *Theological Ethics and Global Dynamics: In the Time of Many Worlds* (Oxford: Blackwell, 2004).
[28] Ver Volf, *Allah*, cap. 1.
[29] Para uma explicação análoga da relação entre a fé cristã e a cultura interpretada de modo mais abrangente, ver cap. 5.
[30] Ver John Richard Bowen, *Why the French Don't Like Headscarves*: *Islam, the State, and Public Space* (Princeton: Princeton University Press, 2007), para uma discussão da possivelmente mais divulgada confrontação entre um estridente secularismo e o islamismo.

[31] Fazer exatamente isso foi o espírito da iniciativa muçulmana denominada "Uma palavra comum". Para ter acesso ao documento, a uma resposta e à análise teológica de questões centrais, ver *A Common Word: Muslims and Christians on Loving God and Neighbor*, ed. Miroslav Volf, Ghazi bin Muhammad e Melissa Yarrington (Grand Rapids: Eerdmans, 2010).
[32] Ver Volf, *Captive to the Word of God*, p. 109.
[33] Ver cap. 5. Ver Volf, "The Trinity Is Our Social Program".
[34] *Nathan the Wise*, trad. Ronald Schechter (Boston: Bedford/St. Martin's, 2004), p. 56.
[35] Idem, p. 76.
[36] Idem, p. 57.
[37] Ver sobre isso o movimento denominado "Scriptural Reasoning" [Raciocínio Escritural]: *The Promise of Scriptural Reasoning*, ed. David Ford e C. C. Pecknold (Oxford: Blackwell, 2006). Ver também Volf, *Captive to the Word of God*, p. 38-39.
[38] Sobre a importância de um robusto debate público, ver Amy Gutmann e Dennis Frank Thompson, *Democracy and Disagreement* (Cambridge, MA: Harvard University Press, 1996). Ver também as críticas de Gutmann e Thompson a partir de várias perspectivas em *Deliberative Politics: Essays on Democracy and Disagreement*, ed. Stephen Macedo (Oxford: Oxford University Press, 1999).
[39] O que William James observou acerca da crença religiosa também se aplica, a meu ver, a decisões políticas: "De fato, se quisermos, *podemos* esperar [...] mas, se fizermos isso, vamos correr riscos como se acreditássemos. Num e noutro caso, *agimos* tomando a vida em nossas mãos" ("The Will to Believe", em *The Writings of William James: A Comprehensive Edition*, ed. John J. McDermott [Nova York: Random House, 1967], p. 734). James termina seu ensaio com a seguinte citação de James Fitzjames Stephen:

"Cada um deve agir como acha melhor; e se estiver errado, tanto pior para ele. Estamos numa passagem no alto de uma montanha em meio a um turbilhão de neve e a uma névoa ofuscantes, e isso nos permite intervalados vislumbres de caminhos que podem ser enganosos. Se ficarmos parados, acabaremos congelados até à morte. Se tomarmos o caminho errado, acabaremos caindo e sendo despedaçados. Não sabemos com segurança se existe algum caminho certo. O que devemos fazer? 'Sejam fortes e corajosos' (Dt 31.6). Atuem visando ao melhor, esperem o melhor e aceitem o que vier." (*Liberty, Equality, Fraternity* [Nova York: Holt & Williams, 1873], p. 333).

Conclusão

[1] O texto completo do discurso, incluindo o material citado neste capítulo, encontra-se em: <http://www.nytimes.com/2009/06/04/us/politics/04obama.text.html>. [Para o texto em português, ver: <http://internacional.estadao.com.br/noticias/oriente-medio,veja-integra-do-discurso-de-barack-obama-no-egito,382488>. Acessos em: 31 de mai. de 2016.]

² Essa formulação particular da "Regra de Ouro" é especificamente cristã. Ela positivamente manda que façamos aos outros o mesmo que queremos que eles façam em relação a nós. O islamismo tem uma versão positiva semelhante dessa regra: "Nenhum de vocês tem fé enquanto não desejar para o próximo o que deseja para si mesmo" (assim falou Maomé, segundo *Sahih Muslim, Kitab al-Iman*, 72). Algumas outras religiões formulam a regra de modo negativo: não façam aos outros o que vocês não querem que eles façam a vocês (ver, por exemplo, Confúcio, *Analectos*, 15.24).
³ *The Clash of Civilizations and the Remaking of World Order* (Nova York: Simon & Schuster, 1996).
⁴ Ver "Mapping the Global Muslim Population", Pew Forum on Religion and Public Life, 7 de out. de 2009, disponível em: <http://pewforum.org/Mapping-the-Global-Muslim-Population.aspx>. Acesso em: 31 de mai. de 2016. (Mas tenha-se em mente a dificuldade para chegar a uma estimativa precisa.)
⁵ Para o islamismo, ver Abdullahi Ahmed An-Na'im, *Islam and the Secular State*; e Feisal Abdul Rauf, *What's Right with Islam*.
⁶ *Milestones*, p. 2.
⁷ Idem, p. 89.
⁸ Eboo Patel, *Acts of Faith: The Story of an American Muslim, the Struggle for the Soul of a Generation* (Boston: Beacon, 2008).

Índice remissivo

Abdul Quddus de Gangoh 24
aborto 22
A Common Word 194
adventus 78
A ética protestante e o "espírito" do capitalismo (Weber) 32
Agostinho
  sobre a prosperidade humana 80, 93
  sobre coração inquieto 176
Alchemy of Happiness, The (al--Ghazali) 86, 88
al-Ghazali, Abu Hamid Muhammad 86, 87, 88, 89, 91
âmago da fé 108, 154, 158
Ambivalence of the Sacred, The (Appleby) 72
A morte da fé (Harris) 37
Appleby, R. Scott 72
arrependimento 141
ascensão 25, 129. *Ver também*
  retorno
  redução funcional 28
  substituição idólatra 29
autoridade. *Ver* sabedoria

Bálcãs (guerra) 59
Barth, Karl 131, 176
bem comum 16, 23, 37, 102. *Ver também* prosperidade humana
bênção 34, 45
Bíblia hebraica 136
Bloom, Paul 186
Bonhoeffer, Dietrich 111
Bridge Betrayed, The (Sells) 181
budismo 26, 86, 147
Bush, George W. 167, 187

capitalismo 32
Caputo, John 66
Carey, William 130
Carroll, Lewis 52
Casanova, José 185
Centro de Fé e Cultura de Yale 21
Certeau, Michel de 113
Chesterton, G. K 108
choque de civilizações 165
Cidade de Deus (Agostinho) 81
Comissão Norte-Americana sobre Liberdade Religiosa 187
compaixão 94
compartilhamento de sabedoria. *Ver* sabedoria

comunidade 53
comunidades cristãs primitivas 102, 103
conceder sabedoria 138. *Ver também* sabedoria
conflito 124, 142
conformação 109
conquista e colonização 114
consociável 151
Constantino I, imperador de Roma 68
correspondência com a realidade 92
Cosmopolis: The Hidden Agenda of Modernity (Toulmin) 177
criação 66
criatividade 27, 42
cristianismo. *Ver também* nova identidade cristã
   caráter violento do 72
   como estilo de vida 125, 171, 187
   como religião profética 22, 24, 25, 27, 75
   comunidades primitivas do 102
   crescimento do 147
   cura das nações 21
   falhas no 23
   fé profunda e fé superficial no 63, 69, 71, 179
   formas totalitárias de 174
   funções da fé no 34
   monoteísmo do 63
   Niebuhr sobre a relação da cultura com 15
   Regra de Ouro 139, 152, 189, 195
   sobre o amor 95
   sobre o pluralismo religioso 149
   teologia da dominação no 11
   testemunho no 17
   trabalho missionário intercultural do 129
   um ator entre muitos 122

vida boa 17
vocabulário do 116
Cristo e cultura (Niebuhr) 15
cultura 15, 121
cura das nações 21
Curse of Cain, The (Schwartz) 61

Delbanco, Andrew 82, 85, 123, 181
democracia liberal 156, 163, 193
Derrida, Jacques 66
diferença. *Ver* diferença interna
diferença interna 113
   acomodação *vs.* 119
   engajamento com o mundo na 121
   transformação total *vs.* 118
Direita Cristã 101
discernimento 49
Discipulado (Bonhoeffer) 111
discurso do Cairo (Obama) 167
diversidade 149, 155
diversidade religiosa 149, 156
Durkheim, Émile 58

Eagleton, Terry 91
Education's End (Kronman) 88, 183
Eisenstadt, Shmuel 146
eliminação da religião 58, 177. *Ver também* secularismo
enculturação 120. *Ver também* nova identidade cristã
engajamento político. *Ver* engajamento público
engajamento público 163. *Ver também* fé engajada
   crescimento da religião no 146
   diversidade religiosa no 149, 156
   na democracia liberal 153, 193
   proposta consociável para o 151
Engels, Friedrich 190
esperança
   na prosperidade humana 78, 82, 181

no compartilhamento da sabedoria 143
estoicismo 89, 90, 94
Ethics of Memory, The (Margalit) 178
eu, o 83
  como doador de sabedoria 130
  como recebedor de sabedoria 136

falhas da fé 40
  na ascensão receptiva 30
  nas religiões místicas 25, 129
  no cristianismo 23
  no retorno criativo 40
fé 34, 160. *Ver também* fés específicas, p. ex., cristianismo
  falhas da (*ver* falhas da fé)
  fé ativa (*ver* trabalho)
  fé coercitiva (*ver* fé coercitiva)
  fé engajada (*ver* fé engajada)
  fé profética (*ver* fé profética)
  fé profunda (*ver* fé profunda)
fé ativa. *Ver* trabalho
fé coercitiva 16. *Ver também* violência
  afirmações monoteístas na 63
  fé superficial na 38, 61, 71, 179
  irrelevância da 38, 39
  no livro de Apocalipse 69
  no relato da criação 66
  no relato da redenção 69
  relutância em seguir o caminho estreito na 38, 39
fé engajada 122. *Ver também* pluralismo religioso político
  compartilhamento da sabedoria na 143
  engajamento público na 163
fé irrelevante 38, 39
fé opressora. *Ver* fé coercitiva
fé profética 28
  ascensão receptiva na 25, 26, 27, 30
  como estilo de vida 125, 170, 187
  compartilhamento de sabedoria na 129
  natureza transformadora da 26
  o bem comum na 16, 23
  retorno criativo na 24, 26, 27, 40
fé profunda 61, 66, 69, 71, 179
fés abraâmicas. *Ver* monoteísmo
fé superficial 38, 61, 69, 71, 179
Feuerbach, Ludwig 23
fracasso e libertação 42-45
Freud, Sigmund 23
fronteiras 65, 105, 111, 120, 160
futurum 78

gaia ciência, A (Nietzsche) 28
Geertz, Clifford 178
generosidade 160
Grande Mandamento 187
Grande Pesquisa da Universidade de Harvard 182
Grünewald, Matthias 131
Guide of the Perplexed, The (Maimônides) 86, 88

Harris, Sam 37
Hauerwas, Stanley 109
Hegel, Georg W. F. 117
hinduísmo 148
Hope and History (Pieper) 77
hospitalidade absoluta 67
hospitalidade hermenêutica 162, 163
Hsu, Becky, et. al. 190
humanismo 81, 88, 146, 147
humanos superiores (Nietzsche) 90
Huntington, Samuel 166, 167

identidade. *Ver* nova identidade cristã
igrejas (*vs.* seitas) 108

imposição da fé. *Ver* fé coercitiva
índios americanos 114
insatisfação 52, 84
internet 107
Interpretation of Cultures (Geertz) 178
Iqbal, Muhammad 24
Irlanda do Norte 59
islamismo 26, 148
   como estilo de vida 170, 187
   crescimento do 9, 146, 191, 192
   críticas cristãs ao 183
   declarações de Obama sobre 167
   iniciativa "Uma palavra comum" 194
   Regra de Ouro do 195
   sabedoria no 189
   universo moral do 175
   visão totalitária de Qutb sobre o 14, 112, 171, 173, 187, 188
islamismo político 13
"Is Maimonides's Ideal Person Austerely Rationalist?" (Kellner) 183

James, William 194
Jesus Cristo
   ascensão e retorno de 26
   como sabedoria encarnada 133, 188
   morte de 68
João Batista 131
João, evangelho de 136, 137
João Paulo II, papa 140
judaísmo 9, 25, 61, 136, 160, 161
Jurgensmeyer, Mark 58, 179
Justino Mártir 137

Kant, Immanuel 47
Kellner, Menachem 183
Kronman, Anthony 88, 183
Kruhonja, Katarina 73

Lessing, Gotthold Ephraim 163
libertação 34, 47

Licklider, J. C. R. 107
Lilla, Mark 10
Lincoln, Abraham 83
Lutero, Martinho 141

Madre Teresa 97
Maimônides, Moisés 86, 87, 88, 89, 91, 182
Maomé 14. *Ver também* islamismo
Maomé II, sultão 183
Mardešić, Željko 61
Margalit, Avishai 72, 178
Marx, Karl 23, 58
   sobre a fome 115
   sobre a solidariedade humana 81
   sobre o cristianismo 33
   sobre o desaparecimento da religião 145
   mau entendimento da fé 33
Meaning of Life, The (Eagleton) 92
Melville, Herman 83
Milestones (Qutb) 11, 173
modernidade
   conceito de religião na 191
   múltiplas modernidades da 146
   poder dos sistemas na 32
   secularização na 58, 147, 177
Moisés 25, 26, 29. *Ver também* judaísmo
Moltmann, Jürgen 77
monoteísmo 63
movimento missionário protestante 130
muçulmanos. *Ver* islamismo
Muntzer, Thomas 174

Natã, o sábio (Lessing) 160
Niebuhr, H. Richard 15
Nietzsche, Friedrich 22, 23
   afirmação da vida de 67
   sobre a correspondência humana à realidade 90
   sobre o assassínio de Deus 28
   sobre os valores cristãos 93, 183

sobre recepção 189
vontade de potência de 90
nova identidade cristã 122,
  159. *Ver também* fé engajada
  acomodação autodestrutiva na
    109, 120
  como subsistema social 108
  conformação pós-liberal na 111
  diferença interna da cultura
    dominante na 122
  engajamento público com todo o
    ser na 121
  manutenção de fronteiras na
    105, 120, 159
  participação voluntária na 104
Nuovi Perseguitati, I (Socci) 190

Oakeshott, Michael 83
O Anticristo (Nietzsche) 22
Obama, Barack 167
ociosidade da fé 41
  fé ativa em resposta à 55
  ocupação mal dirigida na 48
  poder dos sistemas na 32, 33, 38
  tentação na 31, 33
O'Donovan, Oliver 183
O mercador de Veneza (Shakespeare)
  84
On Christian Theology (Williams) 65
Onze de Setembro 57, 58
"O papel da religião na decisão e
  discussão de questões políticas"
  (Wolterstorff) 153
oração 43
orientação moral 49
orientação para a prática moral 51
otimismo 78

papel do amor na prosperidade
  humana 78, 82, 97
  Escrituras cristãs sobre o 97
  na diferença interna 120
  no compartilhamento da
    sabedoria 141
  plausibilidade do 97
  Regra de Ouro 139, 152, 195
Paulo, apóstolo 31, 55, 188
paz 60, 142, 160
pecados de comissão 31
pecados de omissão 31
perdão e arrependimento 139-141
permeabilidade de fronteiras 120
perseguição religiosa 130, 187
Pieper, Josef 77
Pio II, papa 183
pluralismo 105, 152. *Ver também*
  pluralismo político religioso
pluralismo político religioso 11,
  171
  diversidade religiosa no 149, 156
  falando do centro da fé no 160
  generosidade no 163
  hospitalidade hermenêutica 162,
    163
  na nova identidade cristã 159
  no discurso do Cairo de Obama
    167
  proposta consociável para o 151
  redução da particularidade no
    156
poder 44-45
poder dos sistemas 32, 33, 38
politeísmo 35
pós-estruturalismo 66
pós-liberalismo 111
prazer (satisfação) 79, 91, 95, 171
princípios comuns 166. *Ver
  também* Regra de Ouro
profetismo inverso 138
prosperidade humana 97. *Ver
  também* papel do amor na
  prosperidade humana
  centralidade da fé na 88
  compaixão na 95
  correspondência com a realidade
    da 92
  Escrituras cristãs sobre 95
  esperança na 78, 83

papel da comunidade na 53
satisfação e prazer na 79, 91
sentido da vida na 88
solidariedade universal na 82
visão de Agostinho sobre 80

Qutb, Sayyid 14, 171, 173, 187

racionalidade 179
Razão Cósmica 89
Real American Dream, The (Delbanco) 82, 123
recebimento de sabedoria 27, 138, 188
Reconstruction of Religious Thought in Islam, The (Iqbal) 24
redenção 69
redução funcional da fé 29, 96
reflexividade 193
Regra de Ouro 139, 152
reivindicações públicas universais 62
religiões místicas 25, 129
Religion, the Missing Dimension of Statecraft (ed. Johnston e Sampson) 57
relutância em seguir o caminho estreito 38, 39
retorno 24, 25, 40, 96, 129. *Ver também* ascensão;
 fé coercitiva no 18, 31, 40
 ociosidade da fé no 35
Rieff, Philip 80
Right Livelihood Award 73
Rorty, Richard 181
Ruether, Rosemary Radford 64
"Rumo a uma crítica da *Filosofia do Direito* de Hegel" (Marx) 33
Ryle, Gilbert 178

sabedoria 143
 como exercício de amor 141
 como verdade universal 128, 163
 compartilhamento da 130
 dar e receber 138, 188
 em outras fés 138
 perdão e arrependimento na 141
 sabedoria do Antigo Testamento 136
satisfação. *Ver* prazer
Schopenhauer, Arthur 182
Schwartz, Regina 61, 62
Schweiker, William 193
Secular Age, A (Taylor) 81
secularismo 151, 158
 declínio da religião no 29, 59, 147
 humanismo do 81, 88, 146
seitas (*vs.* igrejas) 108
Sells, Michael 181
Sêneca 89
separação de igreja e Estado 150, 151
separatismo 111
Sexism and God-Talk (Ruether) 64
Shakespeare, William 84
Sobre a Trindade (Agostinho) 80
Socci, Antonio 190
Sócrates 38, 133, 188
solidariedade universal 82
sonho americano 82, 123
substituição idólatra 30, 96

Taylor, Charles 81, 97, 146
tentação e integridade 31, 33
teologia da dominação 11
teologia da Nova Era 44
teoria da guerra justa 49
Terror in the Mind of God (Jurgensmeyer) 58, 179
terrorismo
 guerra de Bush contra o 167
 violência religiosa no 58, 74
Tertuliano 176
testemunho 17, 133
"The Will to Believe" (James) 194
Theology of Hope (Moltmann) 77
Thick and Thin (Walzer) 178

Tillich, Paul 138
totalitarismo 173
  formas cristãs de 11
  no islamismo político de Qutb 14, 112, 171, 173, 187, 188
Toulmin, Stephen 177
trabalho (fé ativa) 55, 176
  bênção do sucesso no 45
  construção do significado no 55
  fracassso e libertação no 47
  ocupação mal dirigida no 48
  orientação moral para o 51
tradição filosófica grega 137, 189
trinitarianismo monoteísta 62
Triumph of the Therapeutic, The (Rieff) 80
Troeltsch, Ernst 104, 105

Valliant, George 182
verdade 128, 163. *Ver* sabedoria
violência 61, 179. *Ver também* fé coercitiva;
  cumplicidade do monoteísmo na 63
  do terrorismo 57, 58, 74
  ênfase da mídia na 74
  no livro de Apocalipse 71
  no relato da criação 66
  no relato da redenção 69
viver bem 17. *Ver também* prosperidade humana
voluntarismo 104
vontade de potência (Nietzsche) 90
votação 163

Walzer, Michael 178
Weber, Max 32, 58, 104, 105
Whitman, Walt 181
Williams, Rowan 65
Willimon, Will 109
Wittgenstein, Ludwig 118
Wolterstorff, Nicholas 110, 153
Work in the Spirit (Volf) 176
World Christian Encyclopedia, The (ed. Barrett, Kurian e Johnson) 190
World Trade Center, ataques ao 57, 74

Compartilhe suas impressões de leitura escrevendo para:
opiniao-do-leitor@mundocristao.com.br
Acesse nosso *site*: www.mundocristao.com.br

Equipe MC:	Daniel Faria (editor)
	Heda Lopes
	Natália Custódio
Diagramação:	Triall Editorial
Revisão:	Josemar de Souza Pinto
Gráfica:	Assahi
Fonte:	Janson Text LT Std
Papel:	Chambril Avena 70 g/m^2 (miolo)
	Cartão 250 g/m^2 (capa)